P9-CDN-573

Das Amulett

Novelle

von

Conrad Ferdinand Meyer

WITH INTRODUCTION, NOTES AND VOCABULARY

BY

C. C. GLASCOCK,

INSTRUCTOR IN GERMAN IN THE SHEFFIELD SCIENTIFIC SCHOOL
OF YALE UNIVERSITY

NEW YORK-:-CINCINNATI-:-CHICAGO
AMERICAN BOOK COMPANY

Entered at Stationers' Hall, London

Das Amulett

W. P. I

INTRODUCTION

CONRAD FERDINAND MEYER was born on the 12th of October, 1825, in the city of Zürich in Switzerland. He lost his father when fifteen years of age, and the direction of his education was henceforth in his mother's hands. After the completion of his course at the gymnasium, he went, according to Swiss custom, to reside in Lausanne and Geneva in order to learn French thoroughly. It was at first decided that the comparatively affluent young patrician should study law and aspire to public office. For this, a thorough knowledge of French was indispensable. That French should have influenced him more than German was but natural. His instruction in the latter had been poor, and he spoke, as everybody in his city, the rough, unwieldy Zürich dialect. French was the more fashionable, and was the first language he learned in all its delicacy and refinement. When he returned to Zürich to begin the study of law, he spoke High German with difficulty, thinking in dialect, then translating. In French, on the other hand, he thought and spoke fluently; hence it is not strange that law-lectures in German were tiresome to him. His calm and devout mother permitted him to pursue his studies as he chose. Lacking the restraint that poverty might have exercised, he neglected the work more and more, and finally gave it up altogether. Too shy, dreamy, and reserved for politics, and not possessing a ready tongue in German, he withdrew to the quietude of his home to indulge in books and brooding. His mother was living in seclusion in order to devote herself to religious duties. The only other creature to whom he opened his heart was his somewhat younger sister Betsy. The peacefulness of his life was soon disturbed by doubts excited by what he read, and he realized that he must do something to escape the gloom that was settling upon him. The poetic impulse was at last stirred within him, but in what language was he to write? Literary German was rather foreign to him; in French, of which he had infinitely better control, he could not produce the depth and vagueness of expression possible in German. For a while he applied himself to painting, but finding, to his great distress, that he was too old to acquire sufficient technic, he abandoned it. Tortured by the fear of living uselessly, by doubt and despair, he grew thoroughly disheartened. His peace of mind was restored, however, by taking flight into the French part of Switzerland. New scenes interested him, and his friend Vuillemin induced him to try translating history, whether into French or German, time would decide. For the present he was to practise in both languages. He translated Thierry's *Récits des temps mérovingiens* into German, and portions of Mommsen's *Römische Geschichte* into French. After his mother's unfortunate death by drowning in 1856, perhaps a suicide from mental derangement, Meyer went to Paris for three months in the spring of 1857. The following fall found him in Munich, and in the month of March 1858, accompanied by his sister, he undertook a journey to Italy. Here at last, after more than thirty years of vacillation, he decided that he could only be a poet and that he would write in German. He began to work patiently and conscientiously. Extended travels with his sister made long pauses in his work, equally long respites were given to reading, but the greatest interruptions were caused by the intermittent flagging and relaxation of his energies, owing to his hopelessness of ultimate success. Much that he accomplished is due to the faithfulness, devotion and sympathetic encouragement of his sister. She finally succeeded in arousing the interest of a Swabian poet, Gustav Pfizer, who looked over Meyer's efforts and said he thought a selection might be published. In 1864 *Zwanzig Balladen eines Schweizers* appeared anonymously. The fact that he was able to get a publisher, and that the little volume met some approval, so stimulated him that he began to work more diligently. The ballads, like almost everything that Meyer wrote, were historical in content. They were singularly free from trivialities and almost faultless in rhyme. Another small volume bearing Meyer's name was published in 1870, *Romanzen und Bilder;* but it attracted no attention.

The year 1870, with its Franco-Prussian war, marked a turning point in Meyer's career. For the first time he felt the stimulating warmth and glow of partisanship. He became in truth a German poet, filled with enthusiasm, and in his zeal he found the motive for completing his longest poem, *Huttens letzte Tage* (1871). Though in essentials lyric, this is an extended ballad. The last days and the death of the great reformer, Ulrich von Hutten, on Ufenau, a little island in the Lake of Zürich, are presented in a series of ballads and lyrics portraying the times and their intellectual forces, while over all hovers the solemn and subdued stillness of approaching death. Hutten is the figure of the "idealized roaming knight raised above all inner contradictions by strong partisanship for the national cause, and purified from idle and egoistic contemplations." It has been said that this is the most beautiful poem in which the exaltation of popular sentiment among the Germans in 1870 is voiced, that it came from Switzerland at an appropriate season, and was not an unworthy thank-offering for Schiller's *Wilhelm Tell.* Its reception in Germany was enthusiastic and Meyer suddenly found himself a noted poet. His lyrics show one of his chief characteristics, which is even more marked in his stories,— the effort to attain extreme concentration. His other poems are *Engelberg* (1872) and *Gedichte* (1882).

His writings in prose, all historical novelettes, except *Der Schuss von der Kanzel*, are: *Das Amulett* (1873), *Jürg Jenatsch* (1874), *Der Schuss von der Kanzel* (1877), *Der Heilige* (1880), *Plautus im Nonnenkloster* (1881), *Gustav Adolphs Page* (1882), *Das Leiden eines Knaben* (1883), *Die Hochzeit des Mönchs* (1883), *Die Richterin* (1885), *Die Versuchung des Pescara* (1887) and *Angela Borgia* (1891).

Meyer was a master in his most fruitful field, that of the historical novelette. He did not choose unimportant material, but great and exciting events in stormy epochs, something worth hearing and telling. These are skilfully related by an eye-witness possessing a well-defined temperament and character. By this means of presentation, the story gains immensely in color and reality, non-essentials are eliminated, and the poet vanishes behind his work. This is subtlety, of course, but it is an indication of the value that Meyer put upon form and technic. Yet his art is not merely formal; it is filled with the poetry of life. In *Die Hochzeit des Mönchs*, the narrator is no other than Dante himself, who, at the court of Can Grande in Verona, tells us the story of Ezzelino of Padua. In *Das Amulett*, it is Hans Schadau, a Bernese Protestant, who depicts the closing events in the life of the great French Huguenot, Admiral Coligny, whose secretary he had been, and vividly delineates the awful massacre of St. Bartholomew. A touch of fondness for the gruesome is here noticeable. Two of Meyer's works almost exceed the limits of the novelette. One of these, his most popular production, *Jürg Jenatsch*, is a portrayal of the life, love and death of the Swiss patriot and Protestant preacher who liberates his country from Spanish and Austrian oppression through feigned conversion to Roman Catholicism and through treachery. The other, *Der Heilige,* relates anew the story of Thomas à Becket and his martyrdom, and shows great mastery in the psychological development of passion. *Die Hochzeit des Mönchs* is more or less typical of Meyer's art: it has fullness of content, wealth of observation, extremely concise exposition, careful and almost too apparent selection of what is characteristic. In *Die Versuchung des Pescara* and *Angela Borgia* there is excessive condensation; for many essentials are excluded, and too thorough a knowledge of history is presupposed. It may be said that all the novelettes require of the reader patience, aesthetic attentiveness and educated taste. Friedrich Theodor Vischer appropriately styled Meyer the 'Tacitus of the Novelette' because of his conciseness and epigrammatic force.

Meyer is by no means a realist, but by relating facts sharply and concisely, through pointed expression of thought and feeling, he does produce very realistic effects.

He is frequently compared with Gottfried Keller (1819–1890), his fellow-townsman and contemporary, who was likewise the author of lyric poetry and delightful stories. The two men had little in common. Keller came from the plainer class, Meyer was a patrician. Keller was the greater and more original genius, the closer observer, who drew his material from the life about him as he saw it, whereas Meyer studied it in the pages of history. His works are not so realistic and popular as Keller's, for he was exclusive in the selection of his material and painfully careful in refining its form, — "brocade" as Keller termed it. Meyer's style is objective. He never wrote "with a purpose". He does not betray his own feelings, except, possibly, his strong Protestantism. He could never have written autobiographical confessions such as Keller gave us, but in his verse we find, nevertheless, bits of his passion in poetic garb. His lyric poetry is not humorous, satirical and philosophical like Keller's; it is purely lyric in the narrower sense, or else epic in tendency. Meyer had less poetic power, less richness of soul and fancy, but he was the superior in culture and education, and, in a limited field, the more consciously finished artist. Though the two poets respected each other, they never became close friends.

Meyer was serious and reserved, his sensitive soul was over-shadowed by nervous troubles and painful experiences; but he was just, generous and good, refined, modest and unobtrusive, — in short, the cultured gentleman in every respect. He was healthy in appearance, bright-eyed and broad-shouldered, was an expert at swimming and fencing, and a fearless mountain-climber.

In 1877 he purchased a country-seat at Kilchberg by the lake-side, not far from Zürich. Here he resided for the remainder of his life with his wife and daughter.

In spite of the comforts surrounding him, and his success, he grieved over the seeming waste of his best years. From his fiftieth to his sixtieth year he toiled as only those knew who were acquainted with his difficult and laborious methods, his heavy scientific apparatus, and his unspeakably careful technic. Strong as he looked, however, he could not support the burden of it all. After the completion of *Angela Borgia*, he broke down from mental exhaustion. Occasionally he grew better and would hope to resume composition, but his intellect was so seriously impaired, that he was often oblivious of what was going on around him. At times he read or wrote a letter, but for the most part his days were spent, as so much of his life, in melancholy brooding. On the 28th of November, 1898, his sorrowful dream came to a peaceful close. "Of more than seven decades of life, he was hardly able to make the best use of two, but in so short a time he became what he will remain: a master of the historical novelette and one of the greatest ballad-poets of the post-classic period; measured by the standards of his time, an immortal." *

HISTORICAL SKETCH

When Francis II of France died in 1560, his mother, Catharine de' Medici, became regent for his younger brother, Charles IX. In 1562 she granted the Huguenots, or Protestants, an edict of toleration to counteract the increasing power of the Roman Catholic Duke of Guise. Hostilities soon broke out, and a civil war between Protestants and Catholics was waged for eight years with great cruelty. The Duke of Guise was murdered by a Huguenot at the siege of Orleans in 1563. The Prince of Condé, who led the Protestants at the battle of Jarnac in 1569, was captured and shot. He was succeeded in command by Coligny, and later by his nephew, Henry of Navarre. When both sides were worn out by desultory warfare, hostilities were terminated for a season by the peace of St. Germain-en-Laye, August 8th, 1570. Catharine here concluded a treaty giving the Protestants amnesty, free exercise of their religion except in Paris, and the possession of a number of places of security. The Huguenots, though they had been defeated at arms in important engagements,

* See *Konrad Ferdinand Meyer* by Karl Emil Franzos. I am much indebted to this delightful sketch, and, in addition, I have drawn from the following sources: *Conrad Ferdinand Meyer, sein Leben und seine Werke*, by Adolf Frey, Stuttgart, 1900, 384 pp; *Conrad Ferdinand Meyer.* Sechs Vorträge, by Hans Trog, Basel, 1897; *Deutsche Litteraturgeschichte des 19. Jahrhunderts*, by Carl Weitbrecht (Sammlung Göschen); *Die deutsche Litteratur des neunzehnten Jahrhunderts*, by Richard M. Meyer.

gained four strongholds in addition to their previous rights. The Catholics were, of course, indignant. On the 18th of August, 1572, Margaret of Valois, daughter of Catharine, was married to Henry of Navarre — "the worst of wives to a husband none too good." Catharine pretended that she desired the restoration of harmony by this union. Her real motive was, perhaps, to play off one party against the other and hold the balance of power in her own hands. The sudden death of Jeanne D'Albret, mother of Henry of Navarre, on August 10th, aroused intense bitterness of feeling between Protestants and Catholics, for some of the former believed she had been poisoned. Coligny was now in Paris and exercised a wonderful influence over King Charles, who seemed devoted to him. Catharine began to fear that she would lose all power and be exiled. After the attempted assassination of Coligny, presumably by Catharine's order, it was apparent that war could no longer be averted. Both parties assumed a threatening attitude, but Catharine determined to strike first. She obtained the reluctant consent of her weak-minded son, Charles IX, and appointed the very next night, that of St. Bartholomew's Day, August 24th, for a general massacre of the Protestants. The moment was a favorable one: prominent Huguenots had been attracted to Paris by the royal wedding, and the Roman Catholic citizens and soldiers of Paris were exceedingly embittered by previous sieges and by the boastful menaces of the Protestants. Only a spark was needed to set passions ablaze. After Coligny had been murdered, bells rang out the signal at midnight, and companies of chosen citizens killed all the prominent Huguenots. Henry of Navarre and Condé were saved by immediate and insincere conversion to Roman Catholicism. The conflagration spread to country towns and raged for several weeks. The number of Protestants who fell throughout France has been variously estimated from 2,000 to 100,000. Conservative historians put it at 8,000 or 10,000. Anything like accuracy is utterly impossible: the figures have been grossly exaggerated on the one hand and have been minimized on the other. Southern cities soon afterwards revolted, and a short war followed. The Duke of Anjou besieged La Rochelle, but was called away to his Polish throne. On the 6th of July, 1573, King Charles granted the Huguenots amnesty and the exercise of their religion in certain towns.

HISTORICAL ELEMENTS IN *DAS AMULETT*

With a few masterly strokes Meyer has set before us characterizations of Coligny, Charles IX, Catharine de' Medici, the Duke of Guise, Dandelot, the younger brother of Admiral Coligny, and Montaigne, the celebrated essayist. The Duke of Anjou, Margaret of Valois, and others are scarcely more than mentioned. Lignerolles, the Count de Guiche, and Captain Pfyffer, though historical personages, had no part in the massacre. All the other characters, except Panigarola, are fictitious. The tone of public opinion and some of the events immediately preceding and during the fearful massacre are faithfully depicted. What Meyer wrote in the preface intended for *Jürg Jenatsch* is somewhat applicable to *Das Amulett:* "Do not regard as historical truth in the strict sense of the word, kind reader, what I relate in these pages. I have ventured to simplify complicated events, nay, in unimportant matters, to deviate from the records of chroniclers in order to get firm outlines and uniform lights for my picture" (Adolph Frey, *Conrad F. Meyer*, p. 268). Other details are to be found in the notes.*

* A very important article by Anna Lüderitz, *C. F. Meyers 'Amulett' und seine Quelle* in *Archiv f. d. Studium d. neueren Sprachen*, CXII, 110–121, appeared too late to be used in preparing the present edition of *Das Amulett.*

Alte vergilbte Blätter liegen vor mir mit Aufzeichnungen
aus dem Anfange des siebzehnten Jahrhunderts.
Ich übersetze sie in der Sprache unserer Zeit.

Erstes Kapitel

Heute am vierzehnten März 1611 ritt ich von meinem Sitze am Bielersee hinüber nach Courtion zu dem alten Boccard, den Handel um eine mir gehörige mit Eichen und Buchen bestandene Halde in der Nähe von Münchweiler abzuschließen,
5 der sich schon eine Weile hingezogen hatte. Der alte Herr bemühte sich in langwierigem Briefwechsel um eine Preiserniedrigung. Gegen den Wert des fraglichen Waldstreifens konnte kein ernstlicher Widerspruch erhoben werden, doch der Greis schien es für seine Pflicht zu halten, mir noch etwas abzu-
10 markten. Da ich indessen guten Grund hatte, ihm alles Liebe zu erweisen und überdies Geldes benötigt war, um meinem Sohn, der im Dienste der Generalstaaten steht und mit einer blonden runden Holländerin verlobt ist, die erste Einrichtung seines Hausstandes zu erleichtern, entschloß ich mich, ihm nach-
15 zugeben und den Handel rasch zu beendigen.

Ich fand ihn auf seinem altertümlichen Sitze einsam und in vernachlässigtem Zustande. Sein graues Haar hing ihm unordentlich in die Stirn und hinunter auf den Nacken. Als er meine Bereitwilligkeit vernahm, blitzten seine erloschenen
20 Augen auf bei der freudigen Nachricht. Rafft und sammelt

2. **Bielersee:** the *Lake of Bienne*, in the western part of Switzerland, north of Lake Neuchâtel. **Courtion:** a community in the canton of Fribourg, Switzerland. 4. **Münchweiler:** a community in the canton of Bern. 12. **Generalstaaten:** the *States-General* of Holland. The title is still applied to the legislative body.

er doch in seinen alten Tagen, uneingedenk daß sein Stamm mit ihm verdorren und er seine Habe lachenden Erben lassen wird.

Er führte mich in ein kleines Turmzimmer, wo er in 5 einem wurmstichigen Schranke seine Schriften verwahrt, hieß mich Platz nehmen und bat mich, den Kontrakt schriftlich aufzusetzen. Ich hatte meine kurze Arbeit beendigt und wandte mich zu dem Alten um, der unterdessen in den Schubladen gekramt hatte, nach seinem Siegel suchend, das er verlegt zu 10 haben schien. Wie ich ihn alles hastig durcheinander werfen sah, erhob ich mich unwillkürlich, als müßt' ich ihm helfen. Er hatte eben wie in fieberischer Eile ein geheimes Schubfach geöffnet, als ich hinter ihn trat, einen Blick hineinwarf und — tief aufseufzte.

15 In dem Fache lagen nebeneinander zwei seltsame, beide mir nur zu wohl bekannte Gegenstände: ein durchlöcherter Filzhut, den einst eine Kugel durchbohrt hatte, und ein großes rundes Medaillon von Silber mit dem Bilde der Muttergottes von Einsiedeln in getriebener, ziemlich roher Arbeit.

20 Der Alte kehrte sich um, als wollte er meinen Seufzer beantworten, und sagte in weinerlichem Tone:

„Ja wohl, Herr Schadau, mich hat die Dame von Einsiedeln noch behüten dürfen zu Haus und im Felde; aber seit die Ketzerei in die Welt gekommen ist und auch unsre Schweiz 25 verwüstet hat, ist die Macht der guten Dame erloschen, selbst für die Rechtgläubigen! Das hat sich an Wilhelm gezeigt — meinem lieben Jungen." Und eine Träne quoll unter seinen grauen Wimpern hervor.

1. doch: "quite regularly follows the verb when the latter is put first for emphasis." Moreover, doch is used with the normal or with the inverted order to introduce remarkable facts which are unexpected.
19. Einsiedeln: a small town in the canton of Schwyz, 26 miles southeast of Zürich, is the seat of a Benedictine abbey, possessing a miracle-working image of the Virgin, to which about 150,000 pilgrims annually repair.

Mir war bei diesem Auftritte weh ums Herz und ich richtete an den Alten ein paar tröstende Worte über den Verlust seines Sohnes, der mein Altersgenosse gewesen und an meiner Seite tödlich getroffen worden war. Doch meine Rede schien
5 ihn zu verstimmen, oder er überhörte sie, denn er kam hastig wieder auf unser Geschäft zu reden, suchte von neuem nach dem Siegel, fand es endlich, bekräftigte die Urkunde und entließ mich dann bald ohne sonderliche Höflichkeit.

Ich ritt heim. Wie ich in der Dämmerung meines We-
10 ges trabte, stiegen mit den Düften der Frühlingserde die Bilder der Vergangenheit vor mir auf mit einer so drängenden Gewalt, in einer solchen Frische, in so scharfen und einschneidenden Zügen, daß sie mich peinigten.

Das Schicksal Wilhelm Boccards war mit dem meinigen
15 aufs engste verflochten, zuerst auf eine freundliche, dann auf eine fast schreckliche Weise. Ich habe ihn in den Tod gezogen. Und doch, so sehr mich dies drückt, kann ich es nicht bereuen und müßte wohl heute im gleichen Falle wieder so handeln, wie ich es mit zwanzig Jahren tat. Immerhin setzte mir die
20 Erinnerung der alten Dinge so zu, daß ich mit mir einig wurde, den ganzen Verlauf dieser wundersamen Geschichte schriftlich niederzulegen und so mein Gemüt zu erleichtern.

Zweites Kapitel

Ich bin im Jahre 1553 geboren und habe meinen Vater nicht gekannt, der wenige Jahre später auf den Wällen von
25 St. Quentin fiel. Ursprünglich ein thüringisches Geschlecht,

25. St. Quentin: a town 80 miles northeast of Paris. A battle was fought near St. Quentin in 1557 by the Spaniards and English against the French. The latter were completely defeated. With a handful of French, Coligny heroically held the town for twenty-five days against a large Spanish army and saved Paris, though he himself was finally captured. He has left an interesting record of the siege, *Discours sur le siège de St. Quentin*, referred to in the text, p. 44, line 8.

hatten meine Vorfahren von jeher in Kriegsdienst gestanden
und waren manchem Kriegsherrn gefolgt. Mein Vater hatte
sich besonders den Herzog Ulrich von Württemberg verpflichtet,
der ihm für treu geleistete Dienste ein Amt in seiner Grafschaft
5 Mömpelgard anvertraute und eine Heirat mit einem Fräulein
von Bern vermittelte, deren Ahn einst sein Gastfreund gewesen
war, als Ulrich sich landesflüchtig in der Schweiz umtrieb.
Es duldete meinen Vater jedoch nicht lange auf diesem ruhigen
Posten, er nahm Dienst in Frankreich, das damals die Picardie
10 gegen England und Spanien verteidigen mußte. Dies war
sein letzter Feldzug.

Meine Mutter folgte dem Vater nach kurzer Frist ins
Grab und ich wurde von einem mütterlichen Ohm aufgenommen,
der seinen Sitz am Bielersee hatte und eine feine und
15 eigentümliche Erscheinung war. Er mischte sich wenig in die
öffentlichen Angelegenheiten, ja er verdankte es eigentlich nur
seinem in die Jahrbücher von Bern glänzend eingetragenen
Namen, daß er überhaupt auf Berner Boden geduldet wurde.
Er gab sich nämlich von Jugend auf viel mit Bibelerklärung
20 ab, in jener Zeit religiöser Erschütterung nichts Ungewöhnliches;
aber er hatte, und das war das Ungewöhnliche, aus
manchen Stellen des heiligen Buches, besonders aus der Offenbarung
Johannis, die Überzeugung geschöpft, daß es mit der
Welt zu Ende gehe und es deshalb nicht rätlich und ein eitles
25 Werk sei, am Vorabend dieser durchgreifenden Krise eine neue
Kirche zu gründen, weswegen er sich des ihm zuständigen
Sitzes im Münster zu Bern beharrlich und grundsätzlich entschlug.
Wie gesagt, nur seine Verborgenheit schützte ihn vor
dem gestrengen Arm des geistlichen Regimentes.

3. Ulrich von Württemberg (1487–1550): was driven from his dukedom by the Swabian League in 1519 and did not regain it till 1534. During his exile he lived in Switzerland and in his earldom of Montbéliard (in German, Mömpelgard) in France, on the northwest border of Switzerland. Montbéliard had belonged to Württemberg since 1408. It was ceded to France in 1801.

Unter den Augen dieses harmlosen und liebenswürdigen Mannes wuchs ich — wo nicht ohne Zucht, doch ohne Rute — in ländlicher Freiheit auf. Mein Umgang waren die Bauerjungen des benachbarten Dorfes und dessen Pfarrer, ein strenger Calvinist, durch den mich mein Ohm mit Selbstverleugnung in der Landesreligion unterrichten ließ.

Die zwei Pfleger meiner Jugend stimmten in manchen Punkten nicht zusammen. Während der Theolog mit seinem Meister Calvin die Ewigkeit der Höllenstrafen als das unentbehrliche Fundament der Gottesfurcht ansah, getröstete sich der Laie der einstigen Versöhnung und fröhlichen Wiederbringung aller Dinge. Meine Denkkraft übte sich mit Genuß an der herben Konsequenz der calvinischen Lehre und bemächtigte sich ihrer, ohne eine Masche des festen Netzes fallen zu lassen; aber mein Herz gehörte sonder Vorbehalt dem Oheim. Seine Zukunftsbilder beschäftigten mich wenig, nur einmal gelang es ihm, mich zu verblüffen. Ich nährte seit langem den Wunsch, einen wilden jungen Hengst, den ich in Biel gesehen, einen prächtigen Falben, zu besitzen, und näherte mich mit diesem großen Anliegen auf der Zunge eines Morgens meinem in ein Buch vertieften Oheim, eine Weigerung befürchtend, nicht wegen des hohen Preises, wohl aber wegen der landeskundigen Wildheit des Tieres, das ich zu schulen wünschte. Kaum hatte ich den Mund geöffnet, als er mit seinen leuchtend blauen Augen mich scharf betrachtete und mich feierlich anredete: „Weißt du, Hans, was das fahle Pferd bedeutet, auf dem der Tod sitzt?“ —

Ich verstummte vor Erstaunen über die Sehergabe meines Oheims; aber ein Blick in das vor ihm aufgeschlagene Buch

5. **Calvinist**: *Calvinist* or follower of John Calvin (1509–1564), the celebrated Protestant reformer and theologian. Calvin embraced the Reformation about 1528, and fled to Geneva in 1536. He had a controversy with Servetus in 1553, and founded the Academy of Geneva in 1559.

belehrte mich, daß er nicht von meinem Falben, sondern von einem der vier apokalyptischen Reiter sprach.

Der gelehrte Pfarrer unterwies mich zugleich in der Mathematik und sogar in den Anfängen der Kriegswissenschaft,
5 soweit sie sich aus den bekannten Handbüchern schöpfen läßt; denn er war in seiner Jugend als Student in Genf mit auf die Wälle und ins Feld gezogen.

Es war eine ausgemachte Sache, daß ich mit meinem siebzehnten Jahre in Kriegsdienste zu treten habe; auch das war
10 für mich keine Frage, unter welchem Feldherrn ich meine ersten Waffenjahre verbringen würde. Der Name des großen Coligny erfüllte damals die ganze Welt. Nicht seine Siege, deren hatte er keinen erfochten, sondern seine Niederlagen, welchen er durch Feldherrnkunst und Charaktergröße den Wert
15 von Siegen zu geben wußte, hatten ihn aus allen lebenden Feldherrn hervorgehoben, wenn man ihm nicht den spanischen Alba an die Seite setzen wollte; diesen aber haßte ich wie die Hölle. Nicht nur war mein tapferer Vater treu und trotzig zum protestantischen Glauben gestanden, nicht nur hatte mein
20 bibelkundiger Ohm vom Papsttum einen üblen Begriff und

2. der vier apokalyptischen Reiter: see *Revelation*, chap. 6, verses 2–8. Verse 8: "And I looked, and behold a pale horse; and his name that sat on him was Death, and Hell followed with him. And power was given unto them over the fourth part of the earth, to kill with sword, and with hunger, and with death, and with the beasts of the earth." 11. Coligny: Count Gaspard de Châtillon Coligny, one of the noblest characters in French history, was born at Châtillon-sur-Loing, February 16th, 1517. He became admiral of France in 1552. The Introduction and the text itself contain sufficient information concerning his life and death. 17. Alba: or Alva, Ferdinand Alvarez de Toledo (1508–1582), prime minister, and general of the Spanish armies, under Charles V and Philip II, undertook the subjugation of the Netherlands in 1567, but left his task incomplete in 1573. During that time, his executioners slaughtered 18,000 people. In sixty years of military service, he is said never to have been surprised or to have lost a battle.

meinte es in der Babylonierin der Offenbarung vorgebildet zu sehn, sondern ich selbst fing an mit warmem Herzen Partei zu nehmen. Hatte ich doch schon als Knabe mich in die protestantische Heerschar eingereiht, als es im Jahre 1567 galt die Waffen zu ergreifen, um Genf gegen einen Handstreich Albas zu sichern, der sich aus Italien längs der Schweizergrenze nach den Niederlanden durchwand. Den Jüngling litt es kaum mehr in der Einsamkeit von Chaumont, so hieß der Sitz meines Oheims.

Im Jahre 1570 gab das Pacifikationsedikt von St. Germain en Laye den Hugenotten in Frankreich Zutritt zu allen Ämtern und Coligny, nach Paris gerufen, beriet mit dem König, dessen Herz er, wie die Rede ging, vollständig gewonnen hatte, den Plan eines Feldzugs gegen Alba zur Befreiung der Niederlande. Ungeduldig erwartete ich die jahrelang sich verzögernde Kriegserklärung, die mich zu Colignys Scharen rufen sollte; denn seine Reiterei bestand von jeher aus Deutschen und der Name meines Vaters mußte ihm aus früheren Zeiten bekannt sein.

Aber diese Kriegserklärung wollte noch immer nicht kommen und zwei ärgerliche Erlebnisse sollten mir die letzten Tage in der Heimat verbittern.

Als ich eines Abends im Mai mit meinem Ohm unter der blühenden Hoflinde das Vesperbrot verzehrte, erschien vor uns in ziemlich kriechender Haltung und schäbiger Kleidung ein Fremder, dessen unruhige Augen und gemeine Züge auf mich einen unangenehmen Eindruck machten. Er empfahl sich der gnädigen Herrschaft als Stallmeister, was in unsern Ver-

1. **Offenbarung**: see *Revelation*, chap. 17, verse 5. See also chap. 18. 2. **sehn**: in order to preserve the purposely archaic flavor of Meyer's style in this story the following forms have not been changed: sahn, sehn, geruhn, stehn, ziehn, geschehn, gehn, stünde (for stände), hub (for hob), frug (for fragte), etc. 10. **St. Germain-en-Laye**: fourteen miles northwest of Paris, was at this time, for a part of the year, the residence of the French court. See the Introduction, p. 9.

hältnissen nichts anders als Reitknecht bedeutete, uud schon war ich im Begriff ihn kurz abzuweisen, denn mein Ohm hatte ihm bis jetzt keine Aufmerksamkeit geschenkt, als der Fremdling mir alle seine Kenntnisse und Fertigkeiten herzu-
5 zählen begann.

„Ich führe die Stoßklinge," sagte er, „wie wenige und kenne die hohe Fechtschule aus dem Fundament." —

Bei meiner Entfernung von jedem städtischen Fechtboden empfand ich gerade diese Lücke meiner Ausbildung schmerzlich
10 und trotz meiner instinktiven Abneigung gegen den Ankömmling ergriff ich die Gelegenheit ohne Bedenken, zog den Fremden in meine Fechtkammer und gab ihm eine Klinge in die Hand, mit welcher er die meinige so vortrefflich meisterte, daß ich sogleich mit ihm abmachte und ihn in unsere Dienste nahm.
15 Dem Ohm stellte ich vor, wie günstig die Gelegenheit sei, noch im letzten Augenblick vor der Abreise den Schatz meiner ritterlichen Kenntnisse zu bereichern.

Von nun an brachte ich mit dem Fremden — er bekannte sich zu böhmischer Abkunft — Abend um Abend oft bis zu
20 später Stunde in der Waffenkammer zu, die ich mit zwei Mauerlampen möglichst erleuchtete. Leicht erlernte ich Stoß, Parade, Finte, und bald führte ich, theoretisch vollkommen fest, die ganze Schule richtig und zur Befriedigung meines Lehrers durch; dennoch brachte ich diesen in helle Verzweif-
25 lung dadurch, daß es mir unmöglich war, eine gewisse angeborene Gelassenheit los zu werden, welche er Langsamkeit schalt und mit seiner blitzschnell zuckenden Klinge spielend besiegte.

Um mir das mangelnde Feuer zu geben, verfiel er auf ein seltsames Mittel. Er nähte sich auf sein Fechtwams ein Herz
30 von rotem Leder, das die Stelle des pochenden anzeigte, und auf welches er im Fechten mit der Linken höhnisch und herausfordernd hinwies. Dazu stieß er mannigfache Kriegsrufe aus, am häufigsten: „Alba hoch! — Tod den niederländischen Rebellen!" — oder auch: „Tod dem Ketzer Coligny!

An den Galgen mit ihm!" — Obwohl mich diese Rufe im Innersten empörten und mir den Menschen noch widerlicher machten, als er mir ohnehin war, gelang es mir nicht mein Tempo zu beschleunigen, da ich schon als pflichtschuldig Ler-
5 nender ein Maß von Behendigkeit aufgewendet hatte, das sich nun einmal nicht überschreiten ließ. Eines Abends, als der Böhme gerade ein fürchterliches Geschrei anhob, trat mein Oheim besorgt durch die Seitentüre ein, zu sehen was es gäbe, zog sich aber gleich entsetzt zurück, da er meinen Gegner mit
10 dem Aufruf: „Tod den Hugenotten" mir einen derben Stoß mitten auf die Brust versetzen sah, der mich, galt es Ernst, durchbohrt hätte.

Am nächsten Morgen, als wir unter unsrer Linde früh-stückten, hatte der Ohm etwas auf dem Herzen und ich denke,
15 es war der Wunsch, sich des unheimlichen Hausgenossen zu entledigen, als von dem Bieler Stadtboten ein Schreiben mit einem großen Amtssiegel überbracht wurde. Der Ohm öffnete es, runzelte im Lesen die Stirn und reichte es mir mit den Worten: „Da haben wir die Bescherung! — Lies, Hans,
20 und dann wollen wir beraten, was zu tun sei."

Da stand nun zu lesen, daß ein Böhme, der sich vor einiger Zeit in Stuttgart als Fechtmeister niedergelassen, sein Weib, eine geborene Schwäbin, aus Eifersucht meuchlerisch erstochen; daß man in Erfahrung gebracht, der Täter habe sich nach
25 der Schweiz geschlagen, ja, daß man ihn, oder jemand der ihm zum Verwechseln gleiche, im Dienste des Herrn zu Chaumont wolle gesehen haben; daß man diesen, dem in Erinnerung des seligen Schadau, seines Schwagers, der Herzog Christoph sonderlich gewogen sei, dringend ersuche, den Verdächtigen zu ver-

6. **nun einmal**: emphasizes the fact as unchangeable. See **einmal** in the Vocabulary. 11. **galt**: the indicative mood makes the supposition more vivid. See **gelten** in the Vocabulary. 27. **wolle**: see **wollen** in the Vocabulary. **diesen = Herrn zu Chaumont**: **diesen** is the object of **ersuche**.

haften, selbst ein erstes Verhör vorzunehmen und bei bestätigtem Verdachte den Schuldigen an die Grenze liefern zu lassen. Unterzeichnet und besiegelt war das Schreiben von dem herzoglichen Amte in Stuttgart.

5 Während ich das Aktenstück las, blickte ich nachdenkend einmal darüber hinweg nach der Kammer des Böhmen, die sich, im Giebel des Schlosses gelegen, mit dem Auge leicht erreichen ließ und sah ihn am Fenster beschäftigt, eine Klinge zu putzen. Entschlossen den Übeltäter festzunehmen und der Gerechtigkeit 10 zu überliefern, erhob ich doch unwillkürlich das Schreiben in der Weise, daß ihm das große, rote Siegel, wenn er gerade herunter lauerte, sichtbar wurde, — seinem Schicksal eine kleine Frist gebend, ihn zu retten.

Dann erwog ich mit meinem Ohm die Festnehmung und 15 den Transport des Schuldigen; denn daß er dieses war, daran zweifelten wir beide keinen Augenblick.

Hierauf stiegen wir, jeder ein Pistol in der Hand, auf die Kammer des Böhmen. Sie war leer; aber durch das offene Fenster über die Bäume des Hofes weg — weit in der 20 Ferne, wo sich der Weg um den Hügel wendet, sahn wir einen Reiter galoppieren, und jetzt beim Hinuntersteigen trat uns der Bote von Biel, der das Schreiben überbracht hatte, jammernd entgegen, er suche vergeblich sein Roß, welches er am hintern Hoftor angebunden, während ihm selbst in der 25 Küche ein Trunk gereicht wurde.

Zu dieser leidigen Geschichte, die im Lande viel Aufsehn erregte, und im Mund der Leute eine abenteuerliche Gestalt gewann, kam noch ein anderer Unfall, der machte, daß meines Bleibens daheim nicht länger sein konnte.

30 Ich ward auf eine Hochzeit nach Biel geladen, wo ich, da das Städtchen kaum eine Stunde entfernt liegt, manche, wenn auch nur flüchtige Beziehungen hatte. Bei meiner ziemlich

28. meines Bleibens: this construction, originally a partitive genitive after nicht, still occurs. See the Vocabulary and page 84, line 8.

abgeschlossenen Lebensweise galt ich für stolz und mit meinen Gedanken in der nahen Zukunft, die mich, wenn auch in bescheidenster Stellung, in die großen Geschicke der protestantischen Welt verflechten sollte, konnte ich den inneren Händeln
5 und dem Stadtklatsch der kleinen Republik Biel kein Interesse abgewinnen. So lächelte mir diese Einladung nicht besonders, und nur das Drängen meines ebenso zurückgezogenen, doch dabei leutseligen Oheims bewog mich, der Einladung Folge zu leisten.

10 Den Frauen gegenüber war ich schüchtern. Von kräftigem Körperbau und ungewöhnlicher Höhe des Wuchses, aber unschönen Gesichtszügen, fühlte ich wohl, wenn ich mir davon auch nicht Rechenschaft gab, daß ich die ganze Summe meines Herzens auf eine Nummer zu setzen habe, und die Gelegen-
15 heit dazu, so schwebte mir dunkel vor, mußte sich in der Umgebung meines Helden finden. Auch stand bei mir fest, daß ein volles Glück mit vollem Einsatz mit dem Einsatze des Lebens wolle gewonnen sein.

Unter meinen jugendlichen Bewunderungen nahm neben
20 dem großen Admiral sein jüngerer Bruder Dandelot die erste Stelle ein, dessen weltkundige stolze Brautfahrt meine Einbildungskraft entzündete. Seine Flamme, ein lothringisches Fräulein, hatte er vor den Augen seiner katholischen Todfeinde, der Guisen, aus ihrer Stadt Nancy weggeführt, in festlichem

16. **meines Helden**: *i. e.* Coligny. 20. **Dandelot**: or d'Andelot (François de Coligny, 1521–1569), almost as distinguished a soldier as his brother, was one of the noblest and most ardent defenders of Protestantism. 24. **Guisen**: the Guises were a ducal family of Lorraine distinguished in the history of France and Europe during the sixteenth and seventeenth centuries. Henry I of Lorraine, third Duke of Guise (1550–1588), who figures in *Das Amulett*, aspired to the crown of France, but was murdered by order of the king, who is said to have kicked his lifeless body. His remains and those of his brother who had also been killed, were burned, and their ashes scattered to the winds.

Zuge unter Drommetenschall dem herzoglichen Schlosse vorüber-
reitend.

Etwas derartiges wünschte ich mir vorbestimmt.

Ich machte mich also nüchternen und verdrossenen Herzens
5 nach Biel auf den Weg. Man war höchst zuvorkommend
gegen mich und gab mir meinen Platz an der Tafel neben
einem liebenswürdigen Mädchen. Wie es schüchternen Menschen zu gehen pflegt, geriet ich, um jedem Verstummen vor-
zubeugen, in das entgegengesetzte Fahrwasser und um nicht
10 unhöflich zu erscheinen, machte ich meiner Nachbarin lebhaft
den Hof. Uns gegenüber saß der Sohn des Schultheißen,
eines vornehmen Spezereihändlers, der an der Spitze der aristo-
kratischen Partei stand; denn das kleine Biel hatte gleich
größeren Republiken seine Aristokraten und Demokraten. Franz
15 Godillard, so hieß der junge Mann, der vielleicht Absichten
auf meine Nachbarin haben mochte, verfolgte unser Gespräch,
ohne daß ich anfänglich dessen gewahr wurde, mit steigendem
Interesse und feindseligen Blicken.

Da fragte mich das hübsche Mädchen, wann ich nach Frank-
20 reich zu ziehen gedächte.

„Sobald der Krieg erklärt ist gegen den Bluthund Alba!"
erwiderte ich eifrig.

„Man dürfte von einem solchen Manne in weniger respektwi-
drigen Ausdrücken reden!" warf mir Godillard über den Tisch zu.
25 — „Ihr vergeßt wohl", entgegnete ich, „die mißhandelten
Niederländer! Keinen Respekt ihrem Unterdrücker, und wäre
er der größte Feldherr der Welt!"

— „Er hat Rebellen gezüchtigt," war die Antwort, „und
ein heilsames Beispiel auch für unsre Schweiz gegeben."
30 „Rebellen!" schrie ich und stürzte ein Glas feurigen Cor-

4. nüchternen und verdrossenen Herzens: see nüchtern in the Vocabulary. 8. geriet ich...: see geraten in the Vocabulary. 30. stürzte ... hinunter: see hinunterstürzen in the Vocabulary. Cortaillod is a Swiss village on an eminence by Lake Neuchâtel. Its vineyards produce a famed claret.

taillod hinunter. „So gut, oder so wenig Rebellen, als die Eidgenossen auf dem Rütli!“ —

Godillard nahm eine hochmütige Miene an, zog die Augenbrauen erst mit Wichtigkeit in die Höhe und versetzte dann
5 grinsend: „Untersucht einmal ein gründlicher Gelehrter die Sache, wird es sich vielleicht weisen, daß die aufrührerischen Bauern der Waldstätte gegen Österreich schwer im Unrecht und offener Rebellion schuldig waren. Übrigens gehört das nicht hieher; ich behaupte nur, daß es einem jungen Men-
10 schen ohne Verdienst, ganz abgesehen von jeder politischen Meinung, übel ansteht, einen berühmten Kriegsmann mit Worten zu beschimpfen.“

Dieser Hinweis auf die unverschuldete Verzögerung meines Kriegsdienstes empörte mich aufs tiefste, die Galle lief mir
15 über und: „Ein Schurke!“ rief ich aus, „wer den Schurken Alba in Schutz nimmt.“

Jetzt entstand ein sinnloses Getümmel, aus welchem Godillard mit zerschlagenem Kopfe weggetragen wurde und ich mich mit blutender, vom Wurf eines Glases zerschnittener
20 Wange zurückzog.

Am Morgen erwachte ich in großer Beschämung, voraussehend, daß ich, ein Verteidiger der evangelischen Wahrheit, in den Ruf eines Trunkenboldes geraten würde.

Ohne langes Besinnen packte ich meinen Mantelsack, beur-
25 laubte mich bei meinem Oheim, dem ich mein Mißgeschick andeutete, und der nach einigem Hin- und Herreden sich damit

2. Rütli: or Grütli, a meadow on the heights by the southern arm of Lake Lucerne. It is famous in legend as the spot where representatives from three cantons, Uri, Schwyz, and Unterwalden, met in 1307 and bound themselves by oath to drive out the Austrians and their tyrannical governor, Gessler. 7. Waldstätte: the name of the four original Swiss cantons, Uri, Schwyz, Unterwalden, and Luzern, and of the former settlements on the wooded mountains surrounding the lake named after them Vierwaldstätter-See, *the Lake of the Four Forest Cantons*, known in English as Lake Lucerne.

einverstanden erklärte, daß ich den Ausbruch des Krieges in Paris erwarten möge, steckte eine Rolle Gold aus dem kleinen Erbe meines Vaters zu mir, bewaffnete mich, sattelte meinen Falben und machte mich auf den Weg nach Frankreich.

Drittes Kapitel

5 Ich durchzog ohne nennenswerte Abenteuer die Freigrafschaft und Burgund, erreichte den Lauf der Seine und näherte mich eines Abends den Türmen von Melun, die noch eine kleine Stunde entfernt liegen mochten, über denen aber ein schweres Gewitter hing. Ein Dorf durchreitend, das an der Straße 10 lag, erblickte ich auf der steinernen Hausbank der nicht unansehnlichen Herberge zu den drei Lilien einen jungen Mann, welcher wie ich ein Reisender und ein Kriegsmann zu sein schien, dessen Kleidung und Bewaffnung aber eine Eleganz zeigte, von welcher meine schlichte calvinistische Tracht gewaltig 15 abstach. Da es in meinem Reiseplan lag, vor Nacht Melun zu erreichen, erwiderte ich seinen Gruß nur flüchtig, ritt vorüber und glaubte noch den Ruf: „Gute Reise, Landsmann!" hinter mir zu vernehmen.

Eine Viertelstunde trabte ich beharrlich weiter, während 20 das Gewitter mir schwarz entgegenzog, die Luft unerträglich dumpf wurde und kurze, heiße Windstöße den Staub der Straße in Wirbeln aufjagten. Mein Roß schnaubte. Plötzlich fuhr ein blendender und krachender Blitzstrahl wenige Schritte

5. **Freigrafschaft**: *Franche Comté*, an old province in the eastern part of France in the basin of the Rhone. 6. **Burgund**: *Burgundy*, a large province, west of Franche Comté. 7. **Melun**: a city 28 miles southeast of Paris, on the banks of the Seine. 11. **zu den drei Lilien**: *of (at) the Three Lilies.* The names of inns and hotels have the preposition zu associated with them in German. Compare *at* in English: *at the Red Lion.*

vor mir in die Erde. Der Falbe stieg, drehte sich und jagte in wilden Sprüngen gegen das Dorf zurück, wo es mir endlich unter strömendem Regen vor dem Tore der Herberge gelang, des geängstigten Tieres Herr zu werden.

5 Der junge Gast erhob sich lächelnd von der durch das Vordach geschützten Steinbank, rief den Stallknecht, war mir beim Abschnallen des Mantelsacks behilflich und sagte: „Laßt es Euch nicht reuen, hier zu nächtigen, Ihr findet vortreffliche Gesellschaft.“

10 „Daran zweifle ich nicht!“ versetzte ich grüßend.

— „Ich spreche natürlich nicht von mir,“ fuhr er fort, „sondern von einem alten ehrwürdigen Herrn, den die Wirtin Herr Parlamentrat nennt — also ein hoher Würdenträger — und von seiner Tochter oder Nichte, einem ganz unvergleich-
15 lichen Fräulein. . . . . . . Öffnet dem Herrn ein Zimmer!“ Dies sprach er zu dem herantretenden Wirt, „und Ihr, Herr Landsmann, kleidet Euch rasch um und laßt uns nicht warten, denn der Abendtisch ist gedeckt.“ —

„Ihr nennt mich Landsmann?“ entgegnete ich französisch,
20 wie er mich angeredet hatte. „Woran erkennt Ihr mich als solchen?“ —

„An Haupt und Gliedern!“ versetzte er lustig. „Vorerst seid Ihr ein Deutscher, und an Eurem ganzen festen und gesetzten Wesen erkenne ich den Berner. Ich aber bin Euer
25 treuer Verbündeter von Freiburg und nenne mich Wilhelm Boccard.“ —

Ich folgte dem voranschreitenden Wirte in die Kammer,

13. **Parlamentrat** is a translation of the French *conseiller au parlement*, *counsellor of the parliament*. *Parlements* were judicial bodies which administered justice in France before 1789. They also possessed political power that gave them immense importance. 22. **An Haupt und Gliedern (reformieren)**: a phrase much used in the time of the Reformation. The stranger humorously employs the expression to mean *by everything about you* and, in so doing, slyly gives him to understand that he is recognized as a thorough-going Protestant.

die er mir anwies, wechselte die Kleider und stieg hinunter in die Gaststube, wo ich erwartet war. Boccard trat auf mich zu, ergriff mich bei der Hand und stellte mich einem ergrauten Herrn von feiner Erscheinung und einem schlanken Mädchen
5 im Reitkleide vor mit den Worten: „Mein Kamerad und Landsmann". . . . . dabei sah er mich fragend an.

„Schadau von Bern," schloß ich die Rede.

„Es ist mir höchst angenehm," erwiderte der alte Herr verbindlich, „mit einem jungen Bürger der berühmten Stadt zu-
10 sammenzutreffen, der meine Glaubensbrüder in Genf so viel zu danken haben. Ich bin der Parlamentrat Chatillon, dem der Religionsfriede erlaubt, nach seiner Vaterstadt Paris zurückzukehren."

„Chatillon!" wiederholte ich in ehrfurchtsvoller Verwun-
15 derung. „Das ist der Familienname des großen Admirals."

„Ich habe nicht die Ehre mit ihm verwandt zu sein," versetzte der Parlamentrat, „oder wenigstens nur ganz von fern; aber ich kenne ihn und bin ihm befreundet, so weit es der Unterschied des Standes und des persönlichen Wertes ge-
20 stattet. Doch setzen wir uns, meine Herrschaften. Die Suppe dampft und der Abend bietet noch Raum genug zum Gespräch."

Ein Eichentisch mit gewundenen Füßen vereinigte uns an seinen vier Seiten. Oben war dem Fräulein, zu ihrer Rechten und Linken dem Rat und Boccard und mir am untern
25 Ende der Tafel das Gedeck gelegt. Nachdem unter den üblichen Erkundigungen und Reisegesprächen das Mahl beendigt, und zu einem bescheidenen Nachtisch das perlende Getränk der benachbarten Champagne aufgetragen war, fing die Rede an zusammenhängender zu fließen.

30 „Ich muß es an euch loben, ihr Herren Schweizer," begann der Rat, „daß ihr nach kurzen Kämpfen gelernt habt, euch auf kirchlichem Gebiete friedlich zu vertragen. Das ist ein Zeichen von billigem Sinn und gesundem Gemüt und mein

15. Admirals: *i.e.* of Coligny.

unglückliches Vaterland könnte sich an euch ein Beispiel nehmen. — Werden wir denn nie lernen, daß sich die Gewissen nicht meistern lassen, und daß ein Protestant sein Vaterland so glühend lieben, so mutig verteidigen und seinen Gesetzen so
5 gehorsam sein kann, als ein Katholik!"

„Ihr spendet uns zu reichliches Lob!" warf Boccard ein. „Freilich vertragen wir Katholiken und Protestanten uns im Staate leidlich; aber die Geselligkeit ist durch die Glaubensspaltung völlig verdorben. In früherer Zeit waren wir von
10 Freiburg mit denen von Bern vielfach verschwägert. Das hat nun aufgehört und langjährige Bande sind zerschnitten. Auf der Reise," fuhr er scherzend zu mir gewendet fort, „sind wir uns noch zuweilen behilflich; aber zu Hause grüßen wir uns kaum.

15 Laßt mich Euch erzählen: Als ich auf Urlaub in Freiburg war, — ich diene unter den Schweizern seiner allerchristlichsten Majestät — wurde gerade die Milchmesse auf den Plaffeyer Alpen gefeiert, wo mein Vater begütert ist und auch die Kirchberge von Bern ein Weidrecht besitzen. Das war ein trüb-
20 seliges Fest. Der Kirchberg hatte seine Töchter, vier stattliche Bernerinnen, mitgebracht, die ich, als wir Kinder waren, auf der Alp alljährlich im Tanze schwenkte. Könnt Ihr glauben, daß nach beendigtem Ehrentanze die Mädchen mitten unter

16. **Schweizern**: Swiss Guards were first employed in the French service in 1616, and were finally disbanded in 1830. The royal family sought to render them faithful to themselves and to estrange them from the soldiers and the common people. In their loyal defence of the Tuileries, Aug. 10th, 1792, almost every one of them was killed. Their heroic valor on this occasion is commemorated in the "Lion of Lucerne" at Lucerne. The record of their gallant service is a brilliant chapter in French history. 16. **seiner allerchristlichsten Majestät**: *i.e.* the king of France. The title *rex Christianissimus* was given to Louis XI of France and to his successors by the Popes Pius II and Paul II about the middle of the fifteenth century. 17. **Plaffeyer**: *of Plaffeyen*, a village some 9 miles southeast of Fribourg.

den läutenden Kühen ein theologisches Gespräch begannen und mich, der ich mich nie viel um diese Dinge bekümmert habe, einen Götzendiener und Christenverfolger schalten, weil ich auf den Schlachtfeldern von Jarnac und Moncontour gegen die
5 Hugenotten meine Pflicht getan?"

„Religionsgespräche," begütigte der Rat, „liegen jetzt eben in der Luft; aber warum sollte man sie nicht mit gegenseitiger Achtung führen und in versöhnlichem Geiste sich verständigen können? So bin ich versichert, Herr Boccard, daß
10 Ihr mich wegen meines evangelischen Glaubens nicht zum Scheiterhaufen verdammt, und daß Ihr nicht der letzte seid, die Grausamkeit zu verwerfen, mit der die Calvinisten in meinem armen Vaterlande lange Zeit behandelt worden sind."

„Seid davon überzeugt!" erwiderte Boccard. „Nur dürft
15 Ihr nicht vergessen, daß man das Alte und Hergebrachte in Staat und Kirche nicht grausam nennen darf, wenn es sein Dasein mit allen Mitteln verteidigt. Was übrigens die Grausamkeiten betrifft, so weiß ich keine grausamere Religion als den Calvinismus."

20 „Ihr denkt an Servet!" — sagte der Rat mit leiser Stimme, während sich sein Antlitz trübte.

„Ich dachte nicht an menschliche Strafgerichte," versetzte Boccard, „sondern an die göttliche Gerechtigkeit, wie sie der finstere neue Glaube verunstaltet. Wie gesagt, ich verstehe
25 nichts von der Theologie, aber mein Ohm, der Chorherr in Freiburg, ein glaubwürdiger und gelehrter Mann, hat mich

4. Jarnac: the battle of Jarnac was fought March 13th, 1569, between 26,000 Catholics under the Duke of Anjou and 15,000 Huguenots under Condé. The latter were completely routed. Condé was captured and shot. See Introduction, p. 9. Moncontour: on the third of October, 1569, the Duke of Anjou and Marshal de Tavannes gained a complete victory at Moncontour over Coligny, despite the latter's heroic resistance. 20. Servet: Michael Servetus (1509–1553) had some theological controversies with Calvin. At the instigation of the latter he was condemned and burned at the stake in Geneva in 1553.

versichert, es sei ein calvinistischer Satz, daß eh' es Gutes oder Böses getan hat, das Kind schon in der Wiege zur ewigen Seligkeit bestimmt, oder der Hölle verfallen sei. Das ist zu schrecklich, um wahr zu sein!"

„Und doch ist es wahr," sagte ich, des Unterrichts meines Pfarrers mich erinnernd, „schrecklich oder nicht, es ist logisch."

„Logisch?" fragte Boccard. „Was ist logisch?"

„Was sich nicht selbst widerspricht," ließ sich der Rat vernehmen, den mein Eifer zu belustigen schien.

„Die Gottheit ist allwissend und allmächtig," fuhr ich mit Siegesgewißheit fort, „was sie voraussieht und nicht hindert ist ihr Wille, demnach ist allerdings unser Schicksal schon in der Wiege entschieden."

„Ich würde Euch das gern umstoßen," sagte Boccard, „wenn ich mich jetzt nur auf das Argument meines Oheims besinnen könnte! Denn er hatte ein treffliches Argument dagegen . . . ."

„Ihr tätet mir einen Gefallen," meinte der Rat, „wenn es Euch gelänge, Euch dieses trefflichen Argumentes zu erinnern." —

Der Freiburger schenkte sich den Becher voll, leerte ihn langsam und schloß die Augen. Nach einigem Besinnen sagte er heiter: „Wenn die Herrschaften geruhn, mir nichts einzuwerfen und mich meine Gedanken ungestört entwickeln zu lassen, so hoff' ich nicht übel zu bestehn. Angenommen also, Herr Schadau, Ihr wäret von Eurer calvinistischen Vorsehung seit der Wiege zur Hölle verdammt — doch bewahre mich Gott vor solcher Unhöflichkeit — gesetzt denn, ich wäre im voraus verdammt; aber ich bin ja, Gott sei Dank, kein Calvinist" . . . Hierauf nahm er einige Krumen des vortrefflichen Weizenbrotes, formte sie mit den Fingern zu einem Männchen, das er auf seinen Teller setzte mit den Worten: „Hier steht ein von Geburt an zur Hölle verdammter Calvinist. Nun gebt acht, Schadau! — Glaubt Ihr an die zehn Gebote?"

„Wie, Herr?“ fuhr ich auf.

„Nun, nun, man darf doch fragen. Ihr Protestanten habt so manches Alte abgeschafft! Also Gott befiehlt diesem Calvinisten: Tue das! Unterlasse jenes! Ist solches Gebot
5 nun nicht eitel böses Blendwerk, wenn der Mann zum voraus bestimmt ist, das Gute nicht tun zu können und das Böse tun zu müssen? Und einen solchen Unsinn mutet Ihr der höchsten Weisheit zu? Nichtig ist das, wie dies Gebilde meiner Finger!“ und er schnellte das Brotmännchen in die Höhe.

10 „Nicht übel!“ meinte der Rat.

Während Boccard seine innere Genugtuung zu verbergen suchte, musterte ich eilig meine Gegengründe; aber ich wußte in diesem Augenblicke nichts Triftiges zu antworten und sagte mit einem Anfluge unmutiger Beschämung: „Das ist ein
15 dunkler, schwerer Satz, der sich nicht leichthin erörtern läßt. Übrigens ist seine Behauptung nicht unentbehrlich, um den Papismus zu verwerfen, dessen augenfällige Mißbräuche Ihr selbst, Boccard, nicht leugnen könnt. Denkt an die Unsitten der Pfaffen!“

20 „Es gibt schlimme Vögel unter ihnen,“ nickte Boccard.

„Der blinde Autoritätsglaube . . .“

„Ist eine Wohltat für menschliche Schwachheit,“ unterbrach er mich, „muß es doch in Staat und Kirche wie in dem kleinsten Rechtshandel eine letzte Instanz geben, bei der man
25 sich beruhigen kann!“

„Die wundertätigen Reliquien!“

„Heilten der Schatten St. Petri und die Schweißtüchlein St. Pauli Kranke,“ versetzte Boccard mit großer Gelassenheit,

27. Schatten ꝛc.: see *Acts*, chap. 5, verse 15: "Insomuch that they brought forth the sick into the streets, and laid them on beds and couches, that at least the shadow of Peter passing by might overshadow some of them." And chap. 19, verse 12: "So that from his (St. Paul's) body were brought unto the sick handkerchiefs or aprons, and the diseases departed from them, and the evil spirits went out of them."

„warum sollten nicht auch die Gebeine der Heiligen Wunder wirken?"

„Dieser alberne Mariendienst . . ."

Kaum war das Wort ausgesprochen, so veränderte sich das
5 helle Angesicht des Freiburgers, das Blut stieg ihm mit Gewalt zu Haupte, zornrot sprang er vom Sessel auf, legte die Hand an den Degen und rief mir zu: „Wollt Ihr mich persönlich beleidigen? Ist das Eure Absicht, so zieht!"

Auch das Fräulein hatte sich bestürzt von seinem Sitze
10 erhoben und der Rat streckte beschwichtigend beide Hände nach dem Freiburger aus. Ich erstaunte, ohne die Fassung zu verlieren über die ganz unerwartete Wirkung meiner Worte.

„Von einer persönlichen Beleidigung kann nicht die Rede sein," sagte ich ruhig. „Wie konnte ich ahnen, daß Ihr,
15 Boccard, der in jeder Äußerung den Mann von Welt und Bildung bekundet und der, wie Ihr selbst sagt, gelassen über religiöse Dinge denkt, in diesem einzigen Punkte eine solche Leidenschaft an den Tag legen würdet."

„So wisset Ihr denn nicht, Schadau, was im ganzen Ge-
20 biete von Freiburg und weit darüber hinaus bekannt ist, daß Unsere liebe Frau von Einsiedeln ein Wunder an mir Unwürdigem getan hat?"

„Nein, wahrlich nicht," erwiderte ich. „Setzt Euch, lieber Boccard, und erzählt uns das."

25 „Nun, die Sache ist weltkundig und abgemalt auf einer Votivtafel im Kloster selbst.

In meinem dritten Jahre befiel mich eine schwere Krankheit und ich blieb infolge derselben an allen Gliedern gelähmt. Alle erdenklichen Mittel wurden vergeblich angewendet, kein
30 Arzt wußte Rat. Endlich tat meine liebe gute Mutter barfuß

26. **Votivtafel:** it was customary to erect tablets in Roman Catholic churches to commemorate with a suitable inscription or picture any miracle performed by the Virgin or a saint. The custom has not yet died out.

für mich eine Wallfahrt nach Einsiedeln. Und, siehe da, es
geschah ein Gnadenwunder! Von Stund an ging es besser
mit mir, ich erstarkte und gedieh und bin heute, wie Ihr seht,
ein Mann von gesunden und geraden Gliedern! Nur der
guten Dame von Einsiedeln danke ich es, wenn ich heute meiner
Jugend froh bin und nicht als ein unnützer, freudeloser Krüppel
mein Herz in Gram verzehre. So werdet Ihr es begreifen,
liebe Herren, und natürlich finden, daß ich meiner Helferin
zeitlebens zu Dank verbunden und herzlich zugetan bleibe."

Mit diesen Worten zog er eine seidene Schnur, die er um
den Hals trug und an der ein Medaillon hing, aus dem
Wams hervor und küßte es mit Inbrunst.

Herr Chatillon, der ihn mit einem seltsamen Gemisch von
Spott und Rührung betrachtete, begann nun in seiner ver-
bindlichen Weise: „Aber glaubt Ihr wohl, Herr Boccard,
daß jede Madonna diese glückliche Kur an Euch hätte ver-
richten können?"

„Nicht doch!" versetzte Boccard lebhaft, „die Meinigen ver-
suchten es an manchem Gnadenorte, bis sie an die rechte Pforte
klopften. Die liebe Frau von Einsiedeln ist eben einzig in
ihrer Art."

„Nun," fuhr der alte Franzose lächelnd fort, „so wird es
leicht sein, Euch mit Euerm Landsmanne zu versöhnen, wenn
dies bei Euerm wohlwollenden Gemüt und heitern Naturell,
wovon Ihr uns allen schon Proben gegeben habt, noch not-
wendig sein sollte. Herr Schadau wird seinem harten Ur-
teile über den Mariendienst in Zukunft nicht vergessen die
Klausel anzuhängen: mit ehrenvoller Ausnahme der lieben
Frau von Einsiedeln."

„Dazu bin ich gerne bereit," sagte ich, auf den Ton des
alten Herrn eingehend, freilich nicht ohne eine innere Wallung
gegen seinen Leichtsinn.

Da ergriff der gutmütige Boccard meine Hand und schüttelte sie treuherzig. Das Gespräch nahm eine andere Wen-

dung und bald erhob sich der junge Freiburger gute Nacht wünschend und sich beurlaubend, da er morgen in der ersten Frühe aufzubrechen gedenke.

Nun erst, da das erregte Hin- und Herreden ein Ende
5 genommen hatte, richtete ich meine Blicke aufmerksamer auf das junge Mädchen, das unserm Gespräch stillschweigend mit großer Spannung gefolgt war, und erstaunte über ihre Unähnlichkeit mit ihrem Vater oder Oheim. Der alte Rat hatte ein fein geschnittenes, fast furchtsames Gesicht, welches kluge, dunkle
10 Augen bald wehmütig, bald spöttisch, immer geistvoll beleuch- teten; die junge Dame dagegen war blond und ihr unschul- diges, aber entschlossenes Antlitz beseelten wunderbar strahlende blaue Augen.

„Darf ich Euch fragen, junger Mann,“ begann der Parla-
15 mentrat, „was Euch nach Paris führt? Wir sind Glaubens- genossen, und wenn ich Euch einen Dienst leisten kann, so verfügt über mich.“

„Herr,“ erwiderte ich, „als Ihr den Namen Chatillon aus- spracht, geriet mein Herz in Bewegung. Ich bin ein Sol-
20 datenkind und will den Krieg, mein väterliches Handwerk, erlernen. Ich bin ein eifriger Protestant und möchte für die gute Sache so viel tun, als in meinen Kräften steht. Diese beiden Ziele habe ich erreicht, wenn mir vergönnt ist, unter den Augen des Admirals zu dienen und zu fechten. Könnt
25 Ihr mir dazu verhelfen, so erweist Ihr mir den größten Dienst.“ —

Jetzt öffnete das Mädchen den Mund und fragte: „Habt Ihr denn eine so große Verehrung für den Herrn Admiral?“

„Er ist der erste Mann der Welt!“ antwortete ich feurig. —
30 „Nun, Gasparde,“ fiel der Alte ein, „bei so vortrefflichen Gesinnungen dürftest du für den jungen Herrn ein Fürwort bei deinem Paten einlegen.“

„Warum nicht?“ sagte Gasparde ruhig, „wenn er so brav

30–31. bei so ... Gesinnungen: see Gesinnungen in the Vocabulary.

ist, wie er das Aussehen hat. Ob aber mein Fürwort fruchten wird, das ist die Frage. Der Herr Admiral ist jetzt, am Vorabend des flandrischen Krieges, vom Morgen bis in die Nacht in Anspruch genommen, belagert, ruhelos, und ich weiß 5 nicht, ob nicht schon alle Stellen vergeben sind, über die er zu verfügen hat. Bringt Ihr nicht eine Empfehlung mit, die besser wäre als die meinige?"

„Der Name meines Vaters," versetzte ich etwas eingeschüchtert, „ist vielleicht dem Admiral nicht unbekannt." — Jetzt 10 fiel mir aufs Herz, wie schwer es dem unempfohlenen Fremdling werden könnte, bei dem großen Feldherrn Zutritt zu erlangen, und ich fuhr niedergeschlagen fort: „Ihr habt recht, Fräulein, ich fühle, daß ich ihm wenig bringe: ein Herz und einen Degen, wie er über deren tausende gebietet. Lebte nur 15 sein Bruder Dandelot noch! Der stünde mir näher, an den würde ich mich wagen! War er doch von Jugend auf in allen Dingen mein Vorbild: Kein Feldherr, aber ein tapferer Krieger; kein Staatsmann, aber ein standhafter Parteigenosse; kein Heiliger, aber ein warmes treues Herz!" —

20 Während ich diese Worte sprach, begann Fräulein Gasparde zu meinem Erstaunen erst leise zu erröten und ihre mir rätselhafte Verlegenheit steigerte sich, bis sie mit Rot wie übergossen war. Auch der alte Herr wurde sonderbarerweise verstimmt und sagte spitz:

„Was werdet Ihr wissen, ob Herr Dandelot ein Heiliger 25 war oder nicht! Doch ich bin schläfrig, heben wir die Sitzung auf. Kommt Ihr nach Paris, Herr Schadau, so beehrt mich mit Euerm Besuche. Ich wohne auf der Insel St. Louis. Morgen werden wir uns wohl nicht mehr sehen. Wir halten Rasttag und bleiben in Melun. Jetzt aber schreibt mir noch 30 Euern Namen in diese Brieftasche. So! Gehabt Euch wohl, gute Nacht." —

27. Insel St. Louis: one of the famous islands in the Seine in the heart of Paris. The *Ile de la Cité* and the *Ile St. Louis* are the oldest portions of the city.

Viertes Kapitel

Am zweiten Abende nach diesem Zusammentreffen ritt ich durch das Tor St. Honoré in Paris ein und klopfte müde, wie ich war, an die Pforte der nächsten, kaum hundert Schritte vom Tor entfernten Herberge.

5 Die erste Woche verging mir in der Betrachtung der mächtigen Stadt und im vergeblichen Aufsuchen eines Waffengenossen meines Vaters, dessen Tod ich erst nach mancher Anfrage in Erfahrung brachte. Am achten Tage machte ich mich mit pochendem Herzen auf den Weg nach der Wohnung 10 des Admirals, die mir unfern vom Louvre in einer engen Straße gewiesen wurde.

Es war ein finsteres, altertümliches Gebäude, und der Pförtner empfing mich unfreundlich, ja mißtrauisch. Ich mußte meinen Namen auf ein Stück Papier schreiben, das er 15 zu seinem Herrn trug, dann wurde ich eingelassen und trat durch ein großes Vorgemach, das mit vielen Menschen gefüllt war, Kriegern und Hofleuten, die den durch ihre Reihen Gehenden mit scharfen Blicken musterten, in das kleine Arbeitszimmer des Admirals. Er war mit Schreiben beschäftigt 20 und winkte mir zu warten, während er einen Brief beendigte. Ich hatte Muße, sein Antlitz, das mir durch einen gelungenen, ausdrucksvollen Holzschnitt, der bis in die Schweiz gelangt war, sich unauslöschlich eingeprägt hatte, mit Rührung zu betrachten.

25 Der Admiral mochte damals fünfzig Jahre zählen, aber

2. **Tor St. Honoré**: the *Porte St. Honoré*, at the end of the street called also *St. Honoré*, was demolished in 1732. 10. **Louvre**: originally a palace, now one of the most celebrated museums and art-galleries in the world, situated near the center of Paris, on the north bank of the Seine. It was begun in the 16th century, received additions from time to time, and was finally completed under Napoleon III.

seine Haare waren schneeweiß und eine fieberische Röte durchglühte die abgezehrten Wangen. Auf seiner mächtigen Stirn, auf den magern Händen traten die blauen Adern hervor und ein furchtbarer Ernst sprach aus seiner Miene. Er schaute wie ein Richter in Israel.

Nachdem er sein Geschäft beendigt hatte, trat er zu mir in die Fensternische und heftete seine großen blauen Augen durchdringend auf die meinigen.

„Ich weiß, was Euch herführt," sagte er. „Ihr wollt der guten Sache dienen. Bricht der Krieg aus, so gebe ich Euch eine Stelle in meiner deutschen Reiterei. Inzwischen — seid Ihr der Feder mächtig? Ihr versteht Deutsch und Französisch?" —

Ich verneigte mich bejahend.

„Inzwischen will ich Euch in meinem Kabinett beschäftigen. Ihr könnt mir nützlich sein! So seid mir denn willkommen. Ich erwarte Euch morgen um die achte Stunde. Seid pünktlich." —

Nun entließ er mich mit einer Handbewegung, und wie ich mich vor ihm verbeugte, fügte er mit großer Freundlichkeit bei:

„Vergeßt nicht den Rat Chatillon zu besuchen, mit dem Ihr unterwegs bekannt geworden seid."

Als ich wieder auf der Straße war und, dem Erlebten nachsinnend, den Weg nach meiner Herberge einschlug, wurde mir klar, daß ich für den Admiral kein Unbekannter mehr war, und ich konnte nicht im Zweifel sein, wem ich es zu verdanken hatte. Die Freude, an ein ersehntes Ziel, das mir schwer zu erreichen schien, so leicht gelangt zu sein, war mir von guter Vorbedeutung für meine beginnende Laufbahn, und die Aussicht, unter den Augen des Admirals zu arbeiten, gab mir ein Gefühl von eignem Wert, das ich bisher noch nicht gekannt hatte. Alle diese glücklichen Gedanken traten aber fast gänzlich zurück vor etwas, das mich zugleich anmutete und quälte, lockte und beunruhigte, vor etwas unendlich Fragwürdigem, von dem ich mir durchaus keine Rechenschaft zu geben wußte. Jetzt nach langem vergeblichen Suchen wurde es mir plötzlich klar. Es waren die Augen des Admirals, die mir nachgingen. Und warum verfolgten sie mich? Weil es *ihre* Augen waren. Kein Vater, keine Mutter konnten ihrem Kinde getreuer diesen Spiegel der Seele vererben! Ich geriet in eine unsagbare Verwirrung. Sollten, konnten ihre Augen von den seinigen abstammen? War das möglich? Nein, ich hatte mich getäuscht. Meine Einbildungskraft hatte mir eine Tücke gespielt, und um diese Gauklerin durch die Wirklichkeit zu widerlegen, beschloß ich eilig in meine Herberge zurückzukehren und dann auf der Insel St. Louis meine Bekannten von den drei Lilien aufzusuchen.

Als ich eine Stunde später das hohe schmale Haus des Parlamentrats betrat, das, dicht an der Brücke St. Michel gelegen, auf der einen Seite in die Wellen der Seine, auf der andern über eine Seitengasse hinweg in die gotischen Fenster einer kleinen Kirche blickte, fand ich die Türen des untern Stockwerks verschlossen, und als ich das zweite betrat, stand ich unversehens vor Gasparde, die an einer offenen Truhe beschäftigt schien.

„Wir haben Euch erwartet," begrüßte sie mich, „und ich will Euch zu meinem Ohm führen, der sich freuen wird, Euch zu sehen."

Der Alte saß behaglich im Lehnstuhle, einen großen Folianten durchblätternd, den er auf die dazu eingerichtete Seitenlehne stützte. Das weite Gemach war mit Büchern gefüllt, die in schön geschnitzten Eichenschränken standen. Statuetten, Münzen, Kupferstiche bevölkerten, jedes an der geeigneten Stelle, diese friedliche Gedankenstätte. Der gelehrte Herr hieß mich, ohne sich zu erheben, einen Sitz an seine Seite rücken, grüßte mich als alten Bekannten und vernahm mit sichtlicher Freude den Bericht über meinen Eintritt in die Bedienung des Admirals.

„Gebe Gott, daß es ihm diesmal gelinge!“ sagte er. „Uns Evangelischen, die wir leider am Ende doch nur eine Minderheit unter der Bevölkerung unserer Heimat sind, ohne verruchten Bürgerkrieg Luft zu schaffen, gab es zwei Wege, nur
5 zwei Wege: entweder auswandern über den Ozean in das von Columbus entdeckte Land — diesen Gedanken hat der Admiral lange Jahre in seinem Gemüte bewegt und, hätten sich nicht unerwartete Hindernisse dagegen erhoben, wer weiß! — oder das Nationalgefühl entflammen und einen großen, der Mensch-
10 heit heilbringenden auswärtigen Krieg führen, wo Katholik und Hugenott Seite an Seite fechtend in der Vaterlandsliebe zu Brüdern werden und ihren Religionshaß verlernen könnten. Das will der Admiral jetzt, und mir, dem Manne des Friedens, brennt der Boden unter den Füßen, bis der Krieg er-
15 klärt ist! Die Niederlande vom spanischen Joche befreiend, werden unsere Katholiken widerwillig in die Strömung der Freiheit gerissen werden. Aber es eilt!. Glaubt mir, Schadau, über Paris brütet eine dumpfe Luft. Die Guisen suchen einen Krieg zu vereiteln, der den jungen König selbständig
20 und sie entbehrlich machen würde. Die Königin Mutter ist

8. Coligny had great plans for colonizing with the Huguenots. Some came to America about this time, but the great majority did not leave France till after the revocation of the Edict of Nantes by Louis XIV in 1685. Many settled in our colonies: New York, Virginia, Massachusetts, etc., and especially in South Carolina. 19. **den jungen König**: *i. e.* Charles IX. 20. **die Königin Mutter**: *the queen mother*, Catharine de' Medici, wife of Henry II of France, was born in Florence in 1519, and was married to Henry in her fourteenth year. Her connection with the government of France and the massacre is outlined in the Introduction, pages 9 and 10, and is fully set forth in the text. After sacrificing everything to ambition, she died unheeded and unlamented at Blois in 1589. She betrayed those who trusted her, and, in the end, was forsaken and abhorred by all. Her policy almost subverted the French monarchy and demoralized society; her extravagances wasted the country's finances. Her wicked ambition, perhaps more than anything else, is responsible for St. Bartholomew.

zweideutig, — durchaus keine Teufelin, wie die Heißsporne unsrer Partei sie schildern, aber sie windet sich durch von heute auf morgen, selbstsüchtig nur auf das Interesse ihres Hauses bedacht. Gleichgültig gegen den Ruhm Frankreichs, 5 ohne Sinn für Gutes und Böses, hält sie das Entgegengesetzte in ihren Händen und der Zufall kann die Wahl entscheiden. Feig und unberechenbar wie sie ist, wäre sie freilich des Schlimmsten fähig! — Der Schwerpunkt liegt in dem Wohlwollen des jungen Königs für Coligny, und dieser König ..." 10 hier seufzte Chatillon, „nun, ich will Euerm Urteil nicht vorgreifen! Da er den Admiral nicht selten besucht, so werdet Ihr mit eignen Augen sehen."

Der Greis schaute vor sich hin, dann plötzlich den Gegenstand des Gesprächs wechselnd und den Titel des Folianten 15 aufblätternd, frug er mich: „Wißt Ihr, was ich da lese? Seht einmal!"

Ich las in lateinischer Sprache: Die Geographie des Ptolemäus, herausgegeben von Michael Servetus.

„Doch nicht der in Genf verbrannte Ketzer?" frug ich be-20 stürzt.

„Kein anderer. Er war ein vorzüglicher Gelehrter, ja, so weit ich es beurteilen kann, ein genialer Kopf, dessen Ideen in der Naturwissenschaft vielleicht später mehr Glück machen werden, als seine theologischen Grübeleien. — Hättet Ihr ihn 25 auch verbrannt, wenn Ihr im Genfer Rat gesessen hättet?"

„Gewiß, Herr!" antwortete ich mit Überzeugung. „Bedenkt nur das Eine: was war die gefährlichste Waffe, mit welcher die Papisten unsern Calvin bekämpften? Sie warfen

18. **Claudius Ptolemäus:** a celebrated Alexandrian astronomer and geographer, flourished in the first half of the 2nd century A. D. His great geographical work in eight volumes, *Geographike Hyphegesis*, remained a standard text-book in succeeding ages, till the maritime discoveries of the 15th century showed its deficiencies. It was ably edited in 1535 by Servetus who ranked high as a comparative geographer.

ihm vor, seine Lehre sei Gottesleugnung. Nun kommt ein Spanier nach Genf, nennt sich Calvins Freund, veröffentlicht Bücher, in welchen er die Dreieinigkeit leugnet, wie wenn das nichts auf sich hätte, und mißbraucht die evangelische Freiheit.
5 War es nun Calvin nicht den Tausenden und Tausenden schuldig, die für das reine Wort litten und bluteten, diesen falschen Bruder vor den Augen der Welt aus der evangelischen Kirche zu stoßen und dem weltlichen Richter zu überliefern, damit keine Verwechslung zwischen uns und ihm
10 möglich sei und wir nicht unschuldigerweise fremder Gottlosigkeit geziehen werden?"

Chatillon lächelte wehmütig und sagte: „Da Ihr Euer Urteil über Servedo so trefflich begründet habt, müßt Ihr mir schon den Gefallen tun, diesen Abend bei mir zu bleiben.
15 Ich führe Euch an ein Fenster, das auf die Laurentiuskapelle hinüberschaut, deren Nachbarschaft wir uns hier erfreuen und wo der berühmte Franziskaner Panigarola heute abend predigen wird. Da werdet Ihr vernehmen, wie man Euch das Urteil spricht. Der Pater ist ein gewandter Logiker und ein
20 feuriger Redner. Ihr werdet keines seiner Worte verlieren und — Eure Freude dran haben. — Ihr wohnt noch im Wirtshause? Ich muß Euch doch für ein dauerndes Obdach

13. **Servedo**: Spanish for Servetus. 15. **Laurentiuskapelle**: The *Church of St. Laurent* (St. Lawrence), in the street *Faubourg St. Martin*, is one of the oldest in Paris. 17. **Franziskaner**: one of an order of mendicant friars founded by St. Francis in the beginning of the 13th century. They vowed poverty, chastity and obedience, and laid special stress on preaching and ministry. **François Panigarola** (1548–1594), a famous Italian preacher and controversialist of the Roman Catholic church, went to Paris in 1571 to complete his studies. While there he preached before Catherine de' Medici. He returned to Italy in 1573. Between 1589 and 1594 he delivered controversial sermons in Paris with great effect. He possessed vivacity, an energetic style, rich imagination and a marvellous memory. He was among the very greatest pulpit orators of his day.

sorgen, — was rätst du, Gasparde?" wandte er sich an diese, die eben eingetreten war.

Gasparde antwortete heiter: „Der Schneider Gilbert, unser Glaubensgenosse, der eine zahlreiche Familie zu ernähren hat, 5 wäre wohl froh und hochgeehrt, wenn er dem Herrn Schadau sein bestes Zimmer abtreten dürfte. Und das hätte noch das Gute, daß der redliche, aber furchtsame Christ unsren evangelischen Gottesdienst wieder zu besuchen wagte, von diesem tapfern Kriegsmanne begleitet. — Ich gehe gleich hinüber und 10 will ihm den Glücksfall verkündigen." — Damit eilte die Schlanke weg.

So kurz ihre Erscheinung gewesen war, hatte ich doch aufmerksam forschend in ihre Augen geschaut und ich geriet in neues Staunen. Von einer unwiderstehlichen Gewalt getrie- 15 ben, mir ohne Aufschub dieses Rätsels Lösung zu verschaffen, kämpfte ich nur mit Mühe eine Frage nieder, die gegen allen Anstand verstoßen hätte, da kam mir der Alte selbst zu Hilfe, indem er spöttisch fragte: „Was findet Ihr Besonderes an dem Mädchen, daß Ihr es so starr betrachtet?"

20 „Etwas sehr Besonderes," erwiderte ich entschlossen, „die wunderbare Ähnlichkeit ihrer Augen mit denen des Admirals."

Wie wenn er eine Schlange berührt hätte, fuhr der Rat zurück und sagte gezwungen lächelnd: „Gibt es keine Naturspiele, Herr Schadau? Wollt Ihr dem Leben verbieten, ähn- 25 liche Augen hervorzubringen?"

„Ihr habt mich gefragt, was ich Besonderes an dem Fräulein finde," versetzte ich kaltblütig, „diese Frage habe ich beantwortet. Erlaubt mir eine Gegenfrage: Da ich hoffe, Euch weiterhin besuchen zu dürfen, der ich mich von Euerm Wohl- 30 wollen und von Euerm überlegenen Geiste angezogen fühle, wie wünscht Ihr, daß ich fortan dieses schöne Fräulein begrüße? Ich weiß, daß sie von ihrem Paten Coligny den Namen Gasparde führt, aber Ihr habt mir noch nicht gesagt,

6. das hätte ... Gute: see the Vocabulary under gut.

ob ich die Gunst habe mit Eurer Tochter, oder mit einer Eurer Verwandten zu sprechen."

„Nennt sie, wie Ihr wollt!" murmelte der Alte verdrieß-lich und fing wieder an, in der Geographie des Ptolemäus zu
5 blättern.

Durch dies absonderliche Benehmen ward ich in meiner Vermutung bestärkt, daß hier ein Dunkel walte, und begann die kühnsten Schlüsse zu ziehen. In der kleinen Druckschrift, die der Admiral über seine Verteidigung von St. Quentin
10 veröffentlicht hatte und die ich auswendig wußte, schloß er ziemlich unvermittelt mit einigen geheimnisvollen Worten, worin er seinen Übertritt zum Evangelium andeutete. Hier war von der Sündhaftigkeit der Welt die Rede, an welcher er bekannte, auch selber teilgenommen zu haben. Konnte nun
15 Gaspardes Geburt nicht im Zusammenhange stehn mit diesem vorevangelischen Leben? So streng ich sonst in solchen Dingen dachte, hier war mein Eindruck ein anderer; es lag mir dies-mal ferne, einen Fehltritt zu verurteilen, der mir die un-glaubliche Möglichkeit auftat, mich der Blutsverwandten des
20 erlauchten Helden zu nähern, — wer weiß, vielleicht um sie zu werben. Während ich meiner Einbildungskraft die Zügel schießen ließ, glitt wahrscheinlich ein glückliches Lächeln durch meine Züge, denn der Alte, der mich insgeheim über seinen Folianten weg beobachtet hatte, wandte sich gegen mich mit
25 unerwartetem Feuer:

„Ergötzt es Euch, junger Herr, an einem großen Mann eine Schwäche entdeckt zu haben, so wißt: Er ist makellos! — Ihr seid im Irrtume. Ihr betrügt Euch!"

Hier erhob er sich wie unwillig und schritt das Gemach
30 auf und nieder, dann, plötzlich den Ton wechselnd, blieb er dicht vor mir stehen, indem er mich bei der Hand faßte: „Junger Freund," sagte er, „in dieser schlimmen Zeit, wo wir Evangelischen auf einander angewiesen sind und uns wie

9. St. Quentin: see p. 15, line 25.

Brüder betrachten sollen, wächst das Vertrauen geschwind; es darf keine Wolke zwischen uns sein. Ihr seid ein braver Mann und Gasparde ist ein liebes Kind. Gott verhüte, daß etwas Verdecktes Eure Begegnung unlauter mache. Ihr könnt
5 schweigen, das trau' ich Euch zu; auch ist die Sache ruchbar und könnte Euch aus hämischem Munde zu Ohren kommen. So hört mich an!

Gasparde ist weder meine Tochter, noch meine Nichte; aber sie ist bei mir aufgewachsen und gilt als meine Verwandte.
10 Ihre Mutter, die kurze Zeit nach der Geburt des Kindes starb, war die Tochter eines deutschen Reiteroffiziers, den sie nach Frankreich begleitet hatte. Gaspardes Vater aber," — hier dämpfte er die Stimme, — „ist Dandelot, des Admirals jüngerer Bruder, dessen wunderbare Tapferkeit und frühes
15 Ende Euch nicht unbekannt sein wird. Jetzt wißt Ihr genug. Begrüßt Gasparde als meine Nichte, ich liebe sie wie mein eigenes Kind. Im übrigen haltet reinen Mund, und begegnet ihr unbefangen."

Er schwieg und ich brach das Schweigen nicht, denn ich
20 war ganz erfüllt von der Mitteilung des alten Herrn. Jetzt wurden wir, uns beiden nicht unwillkommen, unterbrochen und zum Abendtische gerufen, wo mir die holdselige Gasparde den Platz an ihrer Seite anwies. Als sie mir den vollen Becher reichte und ihre Hand die meinige berührte, durchrieselte mich
25 ein Schauer, daß in diesen jungen Adern das Blut meines Helden rinne. Auch Gasparde fühlte, daß ich sie mit andern Augen betrachte als kurz vorher, sie sann und ein Schatten der Befremdung glitt über ihre Stirne, die aber schnell wieder hell wurde, als sie mir fröhlich erzählte, wie hoch sich der
30 Schneider Gilbert geehrt fühle, mich zu beherbergen.

„Es ist wichtig," sagte sie scherzend, „daß Ihr einen christlichen Schneider an der Hand habt, der Euch die Kleider streng nach hugenottischem Schnitte verfertigt. Wenn Euch

13. **Dandelot**: see p. 23, line 20.

Pate Coligny, der jetzt beim König so hoch in Gunsten steht, bei Hofe einführt und die reizenden Fräulein der Königin Mutter Euch umschwärmen, da wäret Ihr verloren, wenn nicht Eure ernste Tracht sie gebührend in Schranken hielte."

5 Während dieses heitern Gespräches vernahmen wir über die Gasse, von Pausen unterbrochen, bald lang gezogene, bald heftig ausgestoßene Töne, die den verwehten Bruchstücken eines rednerischen Vortrags glichen, und als bei einem zufälligen Schweigen ein Satz fast unverletzt an unser Ohr schlug, er-
10 hob sich Herr Chatillon unwillig.

„Ich verlasse Euch!" sagte er, „der grausame Hanswurst da drüben verjagt mich." — Mit diesen Worten ließ er uns allein.

„Was bedeutet das?" fragte ich Gasparde.

„Ei," sagte sie, „in der Laurentiuskirche drüben predigt
15 Pater Panigarola. Wir können von unserm Fenster mitten in das andächtige Volk hineinsehen und auch den wunderlichen Pater erblicken. Den Oheim empört sein Gerede, mich langweilt der Unsinn, ich höre gar nicht hin, habe ich ja Mühe in unsrer evangelischen Versammlung, wo doch die lautere
20 Wahrheit gepredigt wird, mit Andacht und Erbauung, wie es dem heiligen Gegenstande geziemt, bis ans Ende aufzuhorchen." —

Wir waren unterdessen ans Fenster getreten, das Gasparde ruhig öffnete.

25 Es war eine laue Sommernacht und auch die erleuchteten Fenster der Kapelle standen offen. Im schmalen Zwischenraume hoch über uns flimmerten Sterne. Der Pater auf der Kanzel, ein junger blasser Franziskanermönch mit südlich feurigen Augen und zuckendem Mienenspiel, gebärdete sich so selt-

4. **hielte**: the preterit tense of the subjunctive is used to denote future possibility as well as unreality in the present. Few grammars mention this in connection with conditional sentences. 6. **bald lang** 2c.: see **bald** in the Vocabulary. 14. **Laurentiuskirche**: see p. 42, line 15.

sam heftig, daß er mir erst ein Lächeln abnötigte; bald aber nahm seine Rede, von der mir keine Silbe entging, meine ganze Aufmerksamkeit in Anspruch.

„Christen," rief er, „was ist die Duldung, welche man von 5 uns verlangt? Ist sie christliche Liebe? Nein, sage ich, dreimal nein! Sie ist eine fluchwürdige Gleichgültigkeit gegen das Los unsrer Brüder! Was würdet ihr von einem Menschen sagen, der einen andern am Rande des Abgrunds schlummern sähe und ihn nicht weckte und zurückzöge? Und 10 doch handelt es sich in diesem Falle nur um Leben und Sterben des Leibes. Um wie viel weniger dürfen wir, wo ewiges Heil oder Verderben auf dem Spiele steht, ohne Grausamkeit unsern Nächsten seinem Schicksal überlassen! Wie? es wäre möglich, mit den Ketzern zu wandeln und zu handeln, ohne 15 den Gedanken auftauchen zu lassen, daß ihre Seelen in tödlicher Gefahr schweben? Gerade unsre Liebe zu ihnen gebietet uns, sie zum Heil zu überreden und, sind sie störrisch, zum Heil zu zwingen, und sind sie unverbesserlich, sie auszurotten, damit sie nicht durch ihr schlechtes Beispiel ihre Kinder, ihre 20 Nachbarn, ihre Mitbürger in die ewigen Flammen mitreißen! Denn ein christliches Volk ist ein Leib, von dem geschrieben steht: Wenn dich dein Auge ärgert, so reiße es aus! Wenn dich deine rechte Hand ärgert, so haue sie ab und wirf sie von dir, denn, siehe, es ist dir besser, daß eines deiner Glieder 25 verderbe, als daß dein ganzer Leib in das nie verlöschende Feuer geworfen werde!" —

Dies ungefähr war der Gedankengang des Paters, den er aber mit einer leidenschaftlichen Rhetorik und mit ungezügelten Gebärden zu einem wilden Schauspiel verkörperte. War es nun 30 das ansteckende Gift des Fanatismus oder das grelle von oben

22. **Wenn dich dein Auge ärgert**: see St. Matthew, chap. 5, verses 29–30; chap. 18, verse 9; St. Mark, chap. 9, verse 43. 29. **war es nun**: inversion here indicates **ob**, *whether*; **wenn**, *if*, is often expressed in the same manner.

fallende Lampenlicht, die Gesichter der Zuhörer nahmen einen so verzerrten und, wie mir schien, blutdürstigen Ausdruck an, daß mir auf einmal klar wurde, auf welchem Vulkan wir Hugenotten in Paris stünden.

5 Gasparde wohnte der unheimlichen Scene fast gleichgültig bei und richtete ihr Auge auf einen schönen Stern, der über dem Dache der Kapelle mild leuchtend aufstieg.

Nachdem der Italiener seine Rede mit einer Handbewegung geschlossen, die mir eher einer Fluchgebärde als einem Segen 10 zu gleichen schien, begann das Volk in dichtem Gedränge aus der Pforte zu strömen, an deren beiden Seiten zwei große brennende Pechfackeln in eiserne Ringe gesteckt wurden. Ihr blutiger Schein beleuchtete die Heraustretenden und erhellte zeitweise auch Gaspardes Antlitz, die das Volksgewühle mit 15 Neugierde betrachtete, während ich mich in den Schatten zurückgelehnt hatte. Plötzlich sah ich sie erblassen, dann flammte ihr Blick empört auf, und als der meinige ihm folgte, sah ich einen hohen Mann in reicher Kleidung ihr mit halb herablassender, halb gieriger Gebärde einen Kuß zuwerfen. 20 Gasparde bebte vor Zorn. Sie ergriff meine Hand, und indem sie mich an ihre Seite zog, sprach sie mit vor Erregung zitternder Stimme in die Gasse hinunter:

„Du beschimpfst mich, Memme, weil du mich schutzlos glaubst! Du irrst dich! Hier steht Einer, der dich züchtigen 25 wird, wenn du noch einen Blick wagst!" —

Hohnlachend schlug der Kavalier, der, wenn nicht ihre Rede, doch die ausdrucksvolle Gebärde verstanden hatte, seinen Mantel um die Schulter und verschwand in der strömenden Menge.

Gaspardes Zorn löste sich in einen Thränenstrom auf und 30 sie erzählte mir schluchzend, wie dieser Elende, der zu dem Hofstaate des Herzogs von Anjou, des königlichen Bruders,

31. Anjou: the Duke of Anjou (1551–1589), younger brother of Charles IX, reigned as Henry III, of France, 1574–1589. He was one of the most dissolute and effeminate of all the French monarchs.

gehöre, schon seit dem Tage ihrer Ankunft sie auf der Straße verfolge, wenn sie einen Ausgang wage, und sich sogar durch das Begleit ihres Oheims nicht abhalten lasse, ihr freche Grüße zuzuwerfen.

„Ich mag dem lieben Ohm bei seiner erregbaren und etwas ängstlichen Natur nichts davon sagen. Es würde ihn beunruhigen, ohne daß er mich beschützen könnte. Ihr aber seid jung und führt einen Degen, ich zähle auf Euch! Die Unziemlichkeit muß um jeden Preis ein Ende nehmen. — Nun lebt wohl, mein Ritter!" fügte sie lächelnd hinzu, während ihre Tränen noch flossen, „und vergeßt nicht, meinem Ohm gute Nacht zu sagen!" —

Ein alter Diener leuchtete mir in das Gemach seines Herrn, bei dem ich mich beurlaubte.

„Ist die Predigt vorüber?" fragte der Rat. „In jüngern Tagen hätte mich das Fratzenspiel belustigt; jetzt aber, besonders seit ich in Nîmes, wo ich das letzte Jahrzehnt mit Gasparde zurückgezogen gelebt habe, im Namen Gottes Mord und Auflauf anstiften sah, kann ich keinen Volkshaufen um einen aufgeregten Pfaffen versammelt sehen ohne die Beängstigung, daß sie nun gleich etwas Verrücktes oder Grausames unternehmen werden. Es fällt mir auf die Nerven." —

Als ich die Kammer meiner Herberge betrat, warf ich mich in den alten Lehnstuhl, der außer einem Feldbette ihre ganze Bequemlichkeit ausmachte. Die Erlebnisse des Tages arbeiteten in meinem Kopfe fort und an meinem Herzen zehrte es wie eine zarte, aber scharfe Flamme. Die Turmuhr eines nahen Klosters schlug Mitternacht, meine Lampe, die ihr Öl aufgebraucht hatte, erlosch, aber taghell war es in meinem Innern. Daß ich Gaspardes Liebe gewinnen könne, schien mir nicht unmöglich, Schicksal daß ich es mußte, und Glück, mein Leben dafür einzusetzen.

17. Nîmes: a city about 60 miles northwest of Marseilles, was a stronghold of Protestantism during the latter part of the 16th century.

Fünftes Kapitel

Am nächsten Morgen zur anberaumten Stunde stellte ich mich bei dem Admiral ein und fand ihn in einem abgegriffenen Taschenbuche blätternd.

„Dies sind," begann er, „meine Aufzeichnungen aus dem 5 Jahre siebenundfünfzig, in welchem ich St. Quentin verteidigte und mich dann den Spaniern ergeben mußte. Da steht unter den tapfersten meiner Leute, mit einem Kreuze bezeichnet, der Name Sadow, mir dünkt, es war ein Deutscher. Sollte dieser Name mit dem Eurigen derselbe sein?" —

10 „Kein andrer als der Name meines Vaters! Er hatte die Ehre, unter Euch zu dienen und vor Euern Augen zu fallen!"

„Nun denn," fuhr der Admiral fort, „das bestärkt mich in dem Vertrauen, das ich in Euch setze. Ich bin von Leuten, mit denen ich lange zusammenlebte, verraten worden, 15 Euch trau' ich auf den ersten Anblick, und ich glaube, er wird mich nicht betrügen." —

Mit diesen Worten ergriff er ein Papier, das mit seiner großen Handschrift von oben bis unten bedeckt war: „Schreibt mir das ins Reine, und wenn ihr Euch daraus über manches 20 unterrichtet, das Euch das Gefährliche unsrer Zustände zeigt, so laßt's Euch nicht anfechten. Alles Große und Entscheidende ist ein Wagnis. Setzt Euch und schreibt." —

Was mir der Admiral übergeben hatte, war ein Memorandum, das er an den Prinzen von Oranien richtete. Mit 25 steigendem Interesse folgte ich dem Gange der Darstellung,

4. Aufzeichnungen: see p. 15, foot-note. 24. Oranien: William, Prince of Orange, Count of Nassau (1533–1584), steadily fought Spanish oppression and Roman Catholicism in the Netherlands from 1568 till he obtained, in 1579, the signature of the Union of Utrecht, the first foundation of the Dutch Republic. King Philip of Spain offered 25,000 gold crowns for his head which led to his assassination by Balthasar Gerard at Delft.

die mit der größten Klarheit, wie sie dem Admiral eigen war, sich über die Zustände von Frankreich verbreitete. Den Krieg mit Spanien um jeden Preis und ohne jeden Aufschub herbeizuführen, dies, schrieb der Admiral, ist unsre Rettung. 5 Alba ist verloren, wenn er von uns und von Euch zugleich angegriffen wird. Mein Herr und König will den Krieg; aber die Guisen arbeiten mit aller Anstrengung dagegen; die katholische Meinung, von ihnen aufgestachelt, hält die französische Kriegslust im Schach, und die Königin Mutter, welche 10 den Herzog von Anjou dem Könige auf unnatürliche Weise vorzieht, will nicht, daß dieser ihren Liebling verdunkle, indem er sich im Feld auszeichnet, wonach mein Herr und König Verlangen trägt, und was ich ihm als treuer Untertan gönne und, so viel an mir liegt, verschaffen möchte.

15 Mein Plan ist folgender: Eine hugenottische Freischar ist in diesen Tagen in Flandern eingefallen. Kann sie sich gegen Alba halten — und dies hängt zum großen Teil davon ab, daß Ihr gleichzeitig den spanischen Feldherrn von Holland her angreift — so wird dieser Erfolg den König bewegen, alle 20 Hindernisse zu überwinden und entschlossen vorwärts zu gehen. Ihr kennt den Zauber eines ersten Gelingens.

Ich war mit dem Schreiben zu Ende, als ein Diener erschien und dem Admiral etwas zuflüsterte. Ehe dieser Zeit hatte, sich von seinem Sitze zu erheben, trat ein sehr junger 25 Mann von schlanker, kränklicher Gestalt heftig erregt ins Gemach und eilte mit den Worten auf ihn zu:

„Guten Morgen, Väterchen! Was gibt es Neues? Ich verreite auf einige Tage nach Fontainebleau. Habt Ihr Nachricht aus Flandern?“ Jetzt wurde er meiner gewahr, und 30 auf mich hindeutend, frug er herrisch: „Wer ist der da?“ —

„Mein Schreiber, Sire, der sich gleich entfernen wird, wenn Eure Majestät es wünscht.“ —

19. her denotes motion toward the speaker, or, in this case, toward the writer, Coligny. It may be left untranslated.

„Weg mit ihm!“ rief der junge König, „ich will nicht belauscht sein, wenn ich Staatsgeschäfte behandle! Vergeßt Ihr, daß wir von Spähern umstellt sind? — Ihr seid zu arglos, lieber Admiral!“

5 Jetzt warf er sich in einen Lehnstuhl und starrte ins Leere; dann, plötzlich aufspringend, klopfte er Coligny auf die Schulter, und als hätte er mich, dessen Entfernung er eben gefordert, vergessen, brach er in die Worte aus:

„Bei den Eingeweiden des Teufels! wir erklären seiner 10 katholischen Majestät nächstens den Krieg!“ Nun aber schien er wieder in den früheren Gedankengang zurückzufallen, denn er flüsterte mit geängstigter Miene: „Neulich noch, erinnert Ihr Euch? als wir beide in meinem Kabinett Rat hielten, da raschelte es hinter der Tapete. Ich zog den Degen, wißt 15 Ihr? und durchstach sie zweimal, dreimal! Da hob sie sich, und wer trat darunter hervor? Mein lieber Bruder, der Herzog von Anjou, mit einem Katzenbuckel!“ Hier machte der König eine nachahmende Gebärde und brach in ein unheimliches Lachen aus. „Ich aber,“ fuhr er fort, „maß ihn 20 mit einem Blicke, den er nicht ertragen konnte und der ihn flugs aus der Türe trieb.“

Hier nahm das bleiche Antlitz einen Ausdruck so wilden Hasses an, daß ich es erschrocken anstarrte.

Coligny, für den ein solcher Auftritt wohl nichts Unge- 25 wöhnliches hatte, dem aber die Gegenwart eines Zeugen peinlich sein mochte, entfernte mich mit einem Winke.

„Ich sehe, Eure Arbeit ist vollendet,“ sagte er, „auf Wiedersehen morgen.“

Während ich meinen Heimweg einschlug, ergriff mich ein 30 unendlicher Jammer. Dieser unklare Mensch also war es, von

9. **seiner katholischen Majestät**: *Catholic Majesty* was given as a title of honor by Pope Alexander VI in 1496 to Ferdinand and Isabella of Spain, after they had subdued the Moors and brought all Spain under Catholic rule again.

dem die Entscheidung der Dinge abhing. — Wo sollte bei so knabenhafter Unreife und flackernder Leidenschaftlichkeit die Stetigkeit des Gedankens, die Festigkeit des Entschlusses herkommen? Konnte der Admiral für ihn handeln? Aber wer
5 bürgte dafür, daß nicht andere, feindliche Einflüsse sich in der nächsten Stunde schon dieses verworrenen Gemütes bemächtigten! Ich fühlte, daß nur dann Sicherheit war, wenn Coligny in seinem König eine selbstbewußte Stütze fand; besaß er in ihm nur ein Werkzeug, so konnte ihm dieses
10 morgen entrissen werden.

In so böse Zweifel verstrickt, verfolgte ich meinen Weg, als sich eine Hand auf meine Schulter legte. Ich wandte mich und blickte in das wolkenlose Gesicht meines Landsmannes Boccard, der mich umhalste und mit den lebhaftesten
15 Freudenbezeugungen begrüßte.

„Willkommen, Schadau, in Paris!" rief er, „Ihr seid, wie ich sehe, müßig, das bin ich auch, und da der König eben verritten ist, so müßt Ihr mit mir kommen, ich will Euch das Louvre zeigen. Ich wohne dort, da meine Com-
20 pagnie die Wache der innern Gemächer hat. — Es wird Euch hoffentlich nicht belästigen," fuhr er fort, da er in meinen Mienen kein ungemischtes Vergnügen über seinen Vorschlag las, „mit einem königlichen Schweizer Arm in Arm zu gehen? Da ja Euer Abgott Coligny die Verbrüderung der Parteien
25 wünscht, so würde ihm das Herz im Leibe lachen ob der Freundschaft seines Schreibers mit einem Leibgardisten."

„Wer hat Euch gesagt" . . . unterbrach ich ihn erstaunt —

„Daß Ihr des Admirals Schreiber seid?" lachte Boccard. „Guter Freund, am Hofe wird mehr geschwatzt, als billig ist.
30 Heute morgen beim Ballspiel war unter den hugenottischen Hofleuten die Rede von einem Deutschen, der bei dem Admiral Gunst gefunden hätte, und aus einigen Äußerungen über die fragliche Persönlichkeit erkannte ich zweifellos meinen Freund

25. so würde . . . lachen: see the Vocabulary under lachen.

Schadau. Es ist nur gut, daß Euch jenes Mal Blitz und Donner in die drei Lilien zurückjagten, sonst wären wir uns fremd geblieben, denn Eure Landsleute im Louvre hättet Ihr wohl schwerlich aus freien Stücken aufgesucht! Mit dem Hauptmann Pfyffer muß ich Euch gleich bekannt machen!"

Dies verbat ich mir, da Pfyffer nicht nur als ausgezeichneter Soldat, sondern auch als fanatischer Katholik berühmt war, willigte aber gern ein, mit Boccard das Innere des Louvre zu besichtigen, da ich den viel gepriesenen Bau bis jetzt nur von außen betrachtet hatte.

Wir schritten nebeneinander durch die Straßen, und das freundliche Geplauder des lebenslustigen Freiburgers war mir willkommen, da es mich von meinen schweren Gedanken erlöste.

Bald betraten wir das französische Königsschloß, das damals zur Hälfte aus einem finstern mittelalterlichen Kastell, zur andern Hälfte aus einem neuen prächtigen Palast bestand, den die Mediceerin hatte aufführen lassen. Diese Mischung zweier Zeiten vermehrte in mir den Eindruck, der mich, seit ich Paris betreten, nie verlassen hatte, den Eindruck des Schwankenden, Ungleichartigen, der sich widersprechenden und mit einander ringenden Elemente.

Nachdem wir viele Gänge und eine Reihe von Gemächern durchschritten hatten, deren Verzierung in keckem Steinwerke und oft ausgelassener Malerei meinem protestantischen Geschmacke fremd und zuweilen ärgerlich war, Boccard aber herz-

5. **Pfyffer** (Louis Pfeiffer, 1530–1594): a native of Lucerne, was made captain of the Swiss Guard (p. 29, line 16) by Charles IX. In 1567 he brought 600 Swiss Catholics and conducted the king in safety from Meaux to Paris in spite of all attacks made by Condé. He fought valiantly in many engagements and returned to Switzerland in 1570. He was not in Paris during the great massacre. So great was his renown among the Swiss that they called him "King of the Swiss." 18. **Mediceerin**: see p. 40, line 20. 20. **den Eindruck** 2c.: see **Eindruck** in the Vocabulary.

lich belustigte, öffnete mir dieser ein Kabinett mit den Worten: „Dies ist das Studierzimmer des Königs.“ —

Da herrschte eine greuliche Unordnung. Der Boden war mit Notenheften und aufgeblätterten Büchern bestreut. An den
5 Wänden hingen Waffen. Auf dem kostbaren Marmortische lag ein Waldhorn.

Ich begnügte mich, von der Türe aus einen Blick in dies Chaos zu werfen, und weitergehend frug ich Boccard, ob der König musikalisch sei.

10 „Er bläst herzzerreißend,“ erwiderte dieser, „oft ganze Vormittage hindurch, und, was schlimmer ist, ganze Nächte, wenn er nicht hier nebenan,“ er wies auf eine andere Türe, „vor dem Amboß steht und schmiedet, daß die Funken stieben. Jetzt aber ruhen Waldhorn und Hammer. Er ist mit dem jungen
15 Chateauguyon eine Wette eingegangen, welchem von ihnen es zuerst gelinge, den Fuß im Munde das Zimmer auf und nieder zu hüpfen. Das gibt ihm nun unglaublich zu tun.“ —

Da Boccard sah, wie ich traurig wurde und es ihm auch
20 sonst passend scheinen mochte, das Gespräch über das gekrönte Haupt Frankreichs abzubrechen, lud er mich ein, mit ihm das Mittagsmahl in einem nicht weit entlegenen Gasthause einzunehmen, das er mir als ganz vorzüglich schilderte.

Um abzukürzen schlugen wir eine enge lange Gasse ein.
25 Zwei Männer schritten uns vom andern Ende derselben entgegen.

„Sieh,“ sagte mir Boccard, „dort kommt Graf Guiche,

27. **Guiche**: the Count de Guiche (1552–1580) seems to have been a rather worthy soldier. He is chiefly known for having been the husband of *La belle Corisande* (Diane D'Andouins), who, after his death, became one of the favorites of Henry IV. It is probable that Meyer here had in mind Philibert, Count de Gramont (1621–1701), *grandson* of the Count de Guiche, and one of the most accomplished libertines that ever lived.

der berüchtigte Damenfänger und der größte Raufer vom Hofe, und neben ihm — wahrhaftig — das ist Lignerolles! Wie darf sich der am hellen Tage blicken lassen, da er doch ein vollgültiges Todesurteil auf dem Halse hat!"

5 Ich blickte hin und erkannte in dem vornehmern der Bezeichneten den Unverschämten, der gestern abend im Scheine der Fackeln Gasparde mit frecher Gebärde beleidigt hatte. Auch er schien sich meiner näherschreitend zu erinnern, denn sein Auge blieb unverwandt auf mir haften. Wir hatten die halbe 10 Breite der engen Gasse inne, die andere Hälfte den uns entgegen Kommenden frei lassend. Da Boccard und Lignerolles auf der Mauerseite gingen, mußten der Graf und ich hart an einander vorüber.

Plötzlich erhielt ich einen Stoß und hörte den Grafen sagen: 15 „Gib Raum, verdammter Hugenott!"

Außer mir wandte ich mich nach ihm um, da rief er lachend zurück: „Willst du dich auf der Gasse so breit machen wie am Fenster?"

Ich wollte ihm nachstürzen, da umschlang mich Boccard 20 und beschwor mich: „Nur hier keine Scene! In diesen Zeiten würden wir in einem Augenblicke den Pöbel von Paris hinter uns her haben, und, da sie dich an deinem steifen Kragen als Hugenotten erkennen würden, wärst du unzweifelhaft verloren! Daß du Genugtuung erhalten mußt, versteht sich 25 von selbst. Du überlässest mir die Sache, und ich will froh sein, wenn sich der vornehme Herr zu einem ehrlichen Zweikampfe versteht. Aber an dem Schweizernamen darf kein

2. **Lignerolles** (Philippe Le Voyer, sieur de L.): a confidant of the Duke of Anjou, dressed superbly, was of gallant bearing and had a licentious tongue. Having lost favor with the Duke, he ingratiated himself with Charles IX by betraying the Duke's secrets and intrigues. He advised Charles to exile the queen-mother and the Duke. They heard of it and engaged two men to murder him while out hunting. His death caused great excitement and various causes were assigned.

Makel haften und wenn ich mit dem deinigen auch mein Leben einsetzen müßte! —

„Jetzt sage mir um aller Heiligen willen, bist du mit Guiche bekannt? Hast du ihn gegen dich aufgebracht? Doch
5 nein, das ist ja nicht möglich! Der Taugenichts war übler Laune und wollte sie an deiner Hugenottentracht auslassen."

Unterdessen waren wir in das Gasthaus eingetreten, wo wir rasch und in gestörter Stimmung unser Mahl hielten.

„Ich muß meinen Kopf zusammenhalten," sagte Boccard,
10 denn ich werde mit dem Grafen einen harten Stand haben."

Wir trennten uns und ich kehrte in meine Herberge zurück, Boccard versprechend, ihn dort zu erwarten. Nach Verlauf von zwei Stunden trat er in meine Kammer mit dem Ausrufe: „Es ist gut abgelaufen! Der Graf wird sich mit
15 dir schlagen, morgen bei Tagesanbruch vor dem Tore St. Michel. Er empfing mich nicht unhöflich, und als ich ihm sagte, du wärest von gutem Hause, meinte er, es sei jetzt nicht der Augenblick, deinen Stammbaum zu untersuchen, was er kennen zu lernen wünsche sei deine Klinge."

20 „Und wie steht es damit?" fuhr Boccard fort, „ich bin sicher, daß du ein methodischer Fechter bist, aber ich fürchte, du bist langsam, langsam, zumal einem so raschen Teufel gegenüber.

Boccards Gesicht nahm einen besorgten Ausdruck an, und
25 nachdem er nach ein paar Übungsklingen gerufen — es befand sich zu ebener Erde neben meinem Gasthause ein Fechtsaal — gab er mir eine derselben in die Hand und sagte: „Nun zeige deine Künste!" —

Nach einigen Gängen, die ich im gewohnten Tempo durch-
30 focht, während Boccard mich vergeblich mit dem Rufe: Schneller, schneller! anfeuerte, warf er seine Klinge weg und stellte sich ans Fenster, um eine Träne vor mir zu verbergen, die ich aber schon hervordringen gesehn hatte.

Ich trat zu ihm und legte meine Hand auf seine Schulter.

„Boccard," sagte ich, „betrübe dich nicht. Alles ist vorherbestimmt. Ist meine Todesstunde auf morgen gestellt, so bedarf es nicht der Klinge des Grafen, um meinen Lebensfaden zu zerschneiden. Ist es nicht so, wird mir seine gefährliche 5 Waffe nichts anhaben können." —

„Mache mich nicht ungeduldig!" versetzte er, sich rasch nach mir umdrehend. „Jede Minute der Frist, die uns bleibt, ist kostbar und muß benützt werden — nicht zum Fechten, denn in der Theorie bist du unsträflich und dein Phlegma," hier 10 seufzte er, „ist unheilbar. Es gibt nur ein Mittel dich zu retten. Wende dich an Unsre liebe Frau von Einsiedeln, und wirf mir nicht ein, du seist Protestant — einmal ist keinmal! Muß es sie nicht doppelt rühren, wenn einer der Abtrünnigen sein Leben in ihre Hände befiehlt! Du hast jetzt noch Zeit, 15 für deine Rettung viele Ave Maria zu sprechen, und glaube mir, die Gnadenmutter wird dich nicht im Stiche lassen! Überwinde dich, lieber Freund, und folge meinem Rate." —

„Laß mich in Ruhe, Boccard!" versetzte ich, über seine wunderliche Zumutung ungehalten und doch von seiner Liebe 20 gerührt.

Er aber drang noch eine Weile vergeblich in mich. Dann ordneten wir das Notwendige für morgen und er nahm Abschied.

In der Türe wandte er sich noch einmal zurück und sagte: 25 „Nur einen Stoßseufzer, Schadau, vor dem Einschlafen!" —

Sechstes Kapitel

Am nächsten Morgen wurde ich durch eine rasche Berührung aus dem Schlafe geweckt. Boccard stand vor meinem Lager.

„Auf!" rief er, „es eilt, wenn wir nicht zu spät kommen 30 sollen! Ich vergaß gestern dir zu sagen, von wem der Graf sich sekundieren läßt, — von Lignerolles. Ein Schimpf mehr, wenn du willst! Aber es hat den Vorteil, daß im Falle du —“ er seufzte — „deinen Gegner ernstlich verwunden solltest, dieser ehrenwerte Sekundant gewiß reinen Mund halten wird, da er tausend gute Gründe hat, die öffentliche Aufmerksamkeit in keiner Weise auf sich zu ziehn.“ —

Während ich mich ankleidete, bemerkte ich wohl, daß dem Freund eine Bitte auf dem Herzen lag, die er mit Mühe niederkämpfte.

Ich hatte mein noch in Bern verfertigtes, nach Schweizersitte auf beiden Seiten mit derben Taschen versehenes Reisewams angezogen und drückte meinen breitkrempigen Filz in die Stirne, als mich Boccard auf einmal in großer Gemütsbewegung heftig umhalste und, nachdem er mich geküßt, seinen Lockenkopf an meine Brust lehnte. Diese überschwengliche Teilnahme erschien mir unmännlich, und ich drückte das duftende Haupt mit beiden Händen beschwichtigend weg. Mir deuchte, daß sich Boccard in diesem Augenblicke etwas an meinem Wams zu schaffen machte; aber ich gab nicht weiter darauf acht, da die Zeit drängte.

Wir gingen schweigend durch die morgenstillen Gassen, während es leise zu regnen anfing, durchschritten das Tor, das eben geöffnet worden war, und fanden in kleiner Entfernung vor demselben einen mit verfallenden Mauern umgebenen Garten. Diese verlassene Stätte war zu der Begegnung ausersehn.

Wir traten ein und erblickten Guiche mit Lignerolles, die unser harrend zwischen den Buchenhecken des Hauptganges auf- und niederschritten. Der Graf grüßte mich mit spöttischer Höflichkeit. Boccard und Lignerolles traten zusammen, um Kampfstelle und Waffen zu regeln.

„Der Morgen ist kühl,“ sagte der Graf, „ist es Euch genehm, so fechten wir im Wams.“ —

„Der Herr ist nicht gepanzert?“ warf Lignerolles hin, indem er eine tastende Bewegung nach meiner Brust machte.

Guiche bedeutete ihn mit einem Blicke, es zu lassen.

Zwei lange Stoßklingen wurden uns geboten. Der Kampf begann, und ich merkte bald, daß ich einem an Behendigkeit mir überlegenen und dabei völlig kaltblütigen Gegner gegen-
5 über stehe. Nachdem er meine Kraft mit einigen spielenden Stößen wie auf dem Fechtboden geprüft hatte, wich seine nachlässige Haltung. Es wurde tödlicher Ernst. Er zeigte Quarte und stieß Sekunde in beschleunigtem Tempo. Meine Parade kam genau noch rechtzeitig: wiederholte er dieselben Stöße um
10 eine Kleinigkeit rascher, so war ich verloren. Ich sah ihn befriedigt lächeln und machte mich auf mein Ende gefaßt.

Blitzschnell kam der Stoß, aber die geschmeidige Stahlklinge bog sich hoch auf, als träfe sie einen harten Gegenstand, ich parierte, führte den Nachstoß und rannte dem Grafen, der,
15 seiner Sache sicher, weit ausgefallen war, meinen Degen durch die Brust. Er verlor die Farbe, wurde aschfahl, ließ die Waffe sinken und brach zusammen.

Lignerolles beugte sich über den Sterbenden, während Boccard mich von hinnen zog.

20 Wir folgten dem Umkreise der Stadtmauer in flüchtiger Eile bis zum zweitnächsten Tore, wo Boccard mit mir in eine kleine ihm bekannte Schenke trat. Wir durchschritten den Flur und ließen uns hinter dem Hause unter einer dicht überwachsenen Laube nieder. Noch war in der feuchten Morgenfrühe
25 alles wie ausgestorben. Der Freund rief nach Wein, der uns nach einer Weile von einem verschlafenen Schenkmädchen gebracht wurde. Er schlürfte in behaglichen Zügen, während ich den Becher unberührt vor mir stehen ließ. Ich hatte die Arme über der Brust gekreuzt und senkte das Haupt. Der
30 Tote lag mir auf der Seele.

Boccard forderte mich zum Trinken auf, und nachdem ich ihm zu Gefallen den Becher geleert hatte, begann er:

„Ob nun gewisse Leute ihre Meinung ändern werden über Unsre liebe Frau von Einsiedeln?" —

„Laß mich zufrieden!" versetzte ich unwirsch, „was hat denn sie damit zu schaffen, daß ich einen Menschen getötet?" —

„Mehr als du denkst!" erwiderte Boccard mit einem vorwurfsvollen Blicke. „Daß du hier neben mir sitzest, hast du nur ihr zu danken! Du bist ihr eine dicke Kerze schuldig!" —

Ich zuckte die Achseln.

„Ungläubiger!" rief er und zog, in meine linke Brusttasche langend, triumphierend das Medaillon daraus hervor, welches er um den Hals zu tragen pflegte, und das er heute morgen während seiner heftigen Umarmung mir heimlich in das Wams geschoben haben mußte.

Jetzt fiel es mir wie eine Binde von den Augen.

Die silberne Münze hatte den Stoß aufgehalten, der mein Herz durchbohren sollte. Mein erstes Gefühl war zornige Scham, als ob ich ein unehrliches Spiel getrieben und entgegen den Gesetzen des Zweikampfes meine Brust geschützt hätte. Darein mischte sich der Groll, einem Götzenbilde mein Leben zu schulden.

„Läge ich doch lieber tot," murmelte ich, „als daß ich bösem Aberglauben meine Rettung verdanken muß!" —

Aber allmählich lichteten sich meine Gedanken. Gasparde trat mir vor die Seele und mit ihr alle Fülle des Lebens. Ich war dankbar für das neu geschenkte Sonnenlicht, und als ich wieder in die freudigen Augen Boccards blickte, brachte ich es nicht über mich, mit ihm zu hadern, so gern ich es gewollt hätte. Sein Aberglaube war verwerflich, aber seine Freundestreue hatte mir das Leben gerettet.

Ich nahm von ihm mit Herzlichkeit Abschied und eilte ihm voraus durch das Tor und quer durch die Stadt nach dem Hause des Admirals, der mich zu dieser Stunde erwartete.

Hier brachte ich den Vormittag am Schreibtische zu, diesmal mit der Durchsicht von Rechnungen beauftragt, die sich auf die Ausrüstung der nach Flandern geworfenen hugenottischen Freischar bezogen. Als der Admiral in einem freien

Augenblicke zu mir trat, wagte ich die Bitte, er möchte mich nach Flandern schicken, um an dem Einfalle teilzunehmen und ihm rasche und zuverlässige Nachricht von dem Verlaufe desselben zu senden.

5 „Nein, Schadau," antwortete er kopfschüttelnd, „ich darf Euch nicht Gefahr laufen lassen, als Freibeuter behandelt zu werden und am Galgen zu sterben. Etwas anderes ist es, wenn Ihr nach erklärten Feindseligkeiten an meiner Seite fallen solltet. Ich bin es Euerm Vater schuldig, Euch keiner 10 andern Gefahr auszusetzen, als einem ehrlichen Soldatentode!" —

Es mochte ungefähr Mittag sein, als sich das Vorzimmer in auffallender Weise füllte und ein immer erregter werdendes Gespräch hörbar wurde.

15 Der Admiral rief seinen Schwiegersohn, Teligny, herein, der ihm berichtete, Graf Guiche sei diesen Morgen im Zweikampfe gefallen, sein Sekundant, der verrufene Lignerolles, habe die Leiche vor dem Tore St. Michel durch die gräfliche Dienerschaft abholen lassen und ihr, bevor er sich flüchtete, 20 nichts anderes zu sagen gewußt, als daß ihr Herr durch die Hand eines ihm unbekannten Hugenotten gefallen sei.

Coligny zog die Brauen zusammen und brauste auf: „Habe ich nicht streng untersagt — habe ich nicht gedroht, gefleht, beschworen, daß keiner unserer Leute in dieser verhängnisvollen 25 Zeit einen Zwist beginne oder aufnehme, der zu blutigem Entscheide führen könnte! Ist der Zweikampf an sich schon eine Tat, die kein Christ ohne zwingende Gründe auf sein Gewissen laden soll, so wird er in diesen Tagen, wo ein ins Pulverfaß springender Funke uns alle verderben kann, zum 30 Verbrechen an unsern Glaubensgenossen und am Vaterlande."—

15. Teligny (Charles de Téligny), son-in-law of Coligny, was noted for his gentleness and courage. Deceived by Charles IX, he was surprised and killed in the massacre, though Coligny had warned and ordered him to flee.

Ich blickte von meinen Rechnungen nicht auf und war froh, als ich die Arbeit zu Ende gebracht hatte. Dann ging ich in meine Herberge und ließ mein Gepäck in das Haus des Schneiders Gilbert bringen.

5 Ein kränklicher Mann mit einem furchtsamen Gesichtchen geleitete mich unter vielen Höflichkeiten in das mir bestimmte Zimmer. Es war groß und luftig und überschaute, das oberste Stockwerk des Hauses bildend, den ganzen Stadtteil, ein Meer von Dächern, aus welchem Turmspitzen in den 10 Wolkenhimmel aufragten.

„Hier seid Ihr sicher!“ sagte Gilbert mit feiner Stimme und zwang mir damit ein Lächeln ab.

„Mich freut es,“ erwiderte ich, „bei einem Glaubensbruder Herberge zu nehmen.“ —

15 „Glaubensbruder?“ lispelte der Schneider, „sprecht nicht so laut, Herr Hauptmann. Es ist wahr, ich bin ein evangelischer Christ, und — wenn es nicht anders sein kann — will ich auch für meinen Heiland sterben; aber verbrannt werden, wie es mit Dubourg auf dem Greveplatze geschah! — ich sah 20 damals als kleiner Knabe zu — hu, davor hab’ ich einen Schauder!“ —

„Habt keine Angst,“ beruhigte ich, „diese Zeiten sind vorüber, und das Friedensedikt gewährleistet uns allen freie Religionsübung.“

19. **Dubourg** (Anne Du Bourg, 1521–1559): a distinguished follower of Calvin in France. Having bitterly accused Henry II of cruel injustice to the Protestants, he was condemned and hung on the Place de Grève (see below) and his body burned, Dec. 20th, 1559. He was considered a martyr by the Protestants, whose zeal was fired by his courageous death. **Greveplatz**: the *Place de Grève* (meaning ‘the strand’), a large open square on the north bank of the Seine near the center of the city, now called *La Place de l’Hôtel de Ville*, the place of execution of ancient Paris. In addition to criminals, innocent victims have been shot here in nearly every revolution that has occurred in Paris. 23. **Friedensedikt**: see the Introduction, p. 9, and p. 19, line 10.

„Gott gebe, daß es dabei bleibe!“ seufzte der Schneider. „Aber Ihr kennt unsern Pariser Pöbel nicht. Das ist ein wildes und ein neidisches Volk, und wir Hugenotten haben das Privilegium, sie zu ärgern. Weil wir eingezogen, züchtig und rechtschaffen leben, so werfen sie uns vor, wir wollen uns als die Bessern von ihnen sondern; aber, gerechter Himmel! wie ist es möglich, die zehn Gebote zu halten und sich nicht vor ihnen auszuzeichnen!“

Mein neuer Hauswirt verließ mich, und bei der einbrechenden Dämmerung ging ich hinüber in die Wohnung des Parlamentrats. Ich fand ihn höchst niedergeschlagen.

„Ein böses Verhängnis waltet über unsrer Sache,“ hub er an. „Wißt Ihr es schon, Schadau? Ein vornehmer Höfling, Graf Guiche, ward diesen Morgen im Zweikampfe von einem Hugenotten erstochen. Ganz Paris ist voll davon und ich denke, Pater Panigarola wird die Gelegenheit nicht versäumen, auf uns alle als auf eine Genossenschaft von Mördern hinzuweisen und seinen tugendhaften Gönner — denn Guiche war ein eifriger Kirchgänger — in einer seiner wirkungsvollen Abendpredigten als Märtyrer des katholischen Glaubens auszurufen . . . Der Kopf schmerzt mich, Schadau, und ich will mich zur Ruhe begeben. Laßt Euch von Gasparde den Abendtrunk kredenzen.“

Gasparde stand während dieses Gesprächs neben dem Sitze des alten Herrn, auf dessen Rückenlehne sie sich nachdenkend stützte. Sie war heute sehr blaß, und tiefernst blickten ihre großen blauen Augen.

Als wir allein waren, standen wir uns einige Augenblicke schweigend gegenüber. Jetzt stieg der schlimme Verdacht in mir auf, daß sie, die selbst mich zu ihrer Verteidigung aufgefordert, nun vor dem Blutbefleckten schaudernd zurücktrete. Die seltsamen Umstände, die mich gerettet hatten und die ich Gasparde nicht mitteilen konnte, ohne ihr calvinistisches Gefühl schwer zu verletzen, verwirrten mein Gewissen mehr, als

die nach Mannesbegriffen leichte Blutschuld es belastete. Gasparde fühlte mir an, daß meine Seele beschwert war, und konnte den Grund davon allein in der Tötung des Grafen und den daraus unsrer Partei erwachsenden Nachteilen suchen.
5 Nach einer Weile sagte sie mit gepreßter Stimme: „Du also hast den Grafen umgebracht?"

„Ich," war meine Antwort.

Wieder schwieg sie. Dann trat sie mit plötzlichem Entschlusse an mich heran, umschlang mich mit beiden Armen
10 und küßte mich inbrünstig auf den Mund.

„Was du immer verbrochen hast," sagte sie fest, „ich bin deine Mitschuldige. Um meinetwillen hast du die Tat begangen. Ich bin es, die dich in Sünde gestürzt hat. Du hast dein Leben für mich eingesetzt. Ich möchte es dir ver-
15 gelten, doch wie kann ich es." —

Ich faßte ihre beiden Hände und rief: „Gasparde, laß mich, wie heute, so morgen und immerdar dein Beschützer sein! Teile mit mir Gefahr und Rettung, Schuld und Heil! Eins und untrennbar laß uns sein bis zum Tode!"
20 „Eins und untrennbar!" sagte sie.

Siebentes Kapitel

Seit dem verhängnisvollen Tage, an welchem ich Guiche getötet und Gaspardes Liebe gewonnen hatte, war ein Monat verstrichen. Täglich schrieb ich im Kabinett des Admirals, der mit meiner Arbeit zufrieden schien und mich mit steigendem
25 Vertrauen behandelte. Ich fühlte, daß ihm die Innigkeit meines Verhältnisses zu Gasparde nicht unbekannt geblieben war, ohne daß er es jedoch mit einem Worte berührt hätte.

27. ohne daß ... hätte: we have here the same subjunctive as that found in the condition contrary to fact. See ohne in the Vocabulary.

Während dieser Zeit hatte sich die Lage der Protestanten in Paris sichtlich verschlimmert. Der Einfall in Flandern war mißlungen, und der Rückschlag machte sich am Hofe und in der öffentlichen Stimmung fühlbar. Die Hochzeit des 5 Königs von Navarra mit Karls reizender aber leichtfertiger Schwester erweiterte die Kluft zwischen den beiden Parteien, statt sie zu überbrücken. Kurz vorher war Jeanne d'Albret, die wegen ihres persönlichen Wertes von den Hugenotten hoch verehrte Mutter des Navarresen, plötzlich gestorben, an Gift, 10 so hieß es.

Am Hochzeittage selber schritt der Admiral, statt der Messe beizuwohnen, auf dem Platze vor Notredame in gemessenem Gange auf und nieder und sprach, er, der sonst so Vorsichtige, ein Wort aus, das in bitterster Feindseligkeit gegen ihn aus-15 gedeutet wurde. „Notredame," sagte er, „ist mit den Fahnen behängt, die man uns im Bürgerkriege abgenommen; sie müssen weg und ehrenvollere Trophäen an ihre Stelle!" Damit meinte er spanische Fahnen, aber das Wort wurde falsch gedeutet.

20 Coligny sandte mich mit einem Auftrage nach Orleans, wo deutsche Reiterei lag. Als ich von dort zurückkehrte und meine Wohnung betrat, kam mir Gilbert mit entstellter Miene entgegen.

5. **Königs von Navarra**: Henry of Navarre (born 1553, assassinated 1610) succeeded to the throne of Navarre in 1572. After the death of Henry III, he was crowned King of France at Chartres in 1594 and reigned till his death. He concluded a peace, thus ending the so-called Wars of the Huguenots, and published the *Edict of Nantes* in 1598, granting political equality to the Protestants, and freedom of worship in some instances outside of Paris. He was a great and noble, though excessively licentious, monarch. **leichtfertiger Schwester**: *i.e.* Margaret of Valois (1553–1615). She was divorced from Henry of Navarre in 1599. In her last years she was a patroness of science and literature. She left interesting *Mémoires*, published in 1628. See also the Introduction, p. 10.

„Wißt Ihr schon, Herr Hauptmann," jammerte er, „daß der Admiral gestern meuchlerisch verwundet worden ist, als er aus dem Louvre nach seinem Palaste zurückkehrte? Nicht tötlich, sagt man; aber bei seinem Alter und der kummervollen
5 Sorge, die auf ihm lastet, wer kann wissen, wie das endet! Und stirbt er, was soll aus uns werden?" —

Ich begab mich schleunig nach der Wohnung des Admirals, wo ich abgewiesen wurde. Der Pförtner sagte mir, es sei hoher Besuch im Hause, der König und die Königin Mutter.
10 Dies beruhigte mich, da ich in meiner Arglosigkeit daraus schloß, unmöglich könne Katharina an der Untat Anteil haben, wenn sie selbst das Opfer besuche. Der König aber, versicherte der Pförtner, sei wütend über den tückischen Angriff auf das Leben seines väterlichen Freundes.

15 Jetzt wandte ich meine Schritte zurück nach der Wohnung des Parlamentrats, den ich in lebhaftem Gespräche mit einer merkwürdigen Persönlichkeit fand, einem Manne in mittleren Jahren, dessen bewegtes Gebärdenspiel den Südfranzosen verriet und der den St. Michaelsorden trug. Noch nie hatte ich in
20 klugere Augen geblickt. Sie leuchteten von Geist, und in den zahllosen Falten und Linien um Augen und Mund bewegte sich ein unruhiges Spiel schalkhafter und scharfsinniger Gedanken.

„Gut, daß Ihr kommt, Schadau!" rief mir der Rat entgegen, während ich unwillkürlich das unschuldige Antlitz Gas-
25 pardes, in dem nur die Lauterkeit einer einfachen und starken Seele sich spiegelte, mit der weltklugen Miene des Gastes verglich, „gut, daß Ihr kommt! Herr Montaigne will mich mit Gewalt nach seinem Schlosse in Perigord entführen." . . .

19. **St. Michaelsorden**: the French *order of St. Michael* was founded by Louis IX in 1469. It was not conferred later than 1830. 27. **Montaigne** (Michael Eyquem de M., 1533–92): a renowned essayist, and one of the greatest masters of French prose. He was living in retirement during the times of religious oppression and the massacre. His attitude towards everything was usually skeptical. He was a friend of men of all creeds, and often acted as a mediator between Protestants and Catholics.

„Wir wollen dort den Horaz zusammen lesen," warf der Fremdling ein, „wie wir es vor Zeiten in den Bädern von Aix taten, wo ich das Vergnügen hatte, den Herrn Rat kennen zu lernen." —

5 „Meint Ihr, Montaigne," fuhr der Rat fort, „ich dürfe die Kinder allein lassen? Gasparde will sich nicht von ihrem Paten und dieser junge Berner sich nicht von Gasparde trennen."

„Ei was," spottete Herr Montaigne, sich gegen mich ver-
10 beugend, „sie werden, um sich in der Tugend zu stärken, das Buch Tobiä zusammen lesen!" und den Ton wechselnd, da er mein ernstes Gesicht sah. „Kurz und gut," schloß er, „Ihr kommt mit mir, lieber Rat!" —

„Ist denn eine Verschwörung gegen uns Hugenotten im
15 Werke!" fragte ich aufmerksam werdend.

„Eine Verschwörung?" wiederholte der Gascogner. „Nicht daß ich wüßte! Wenn nicht etwa eine solche, wie sie die Wolken anzetteln, bevor ein Gewitter losbricht. Vier Fünfteile einer Nation von dem letzten Fünfteil zu etwas gezwungen,
20 was sie nicht wollen — das heißt zum Kriege in Flandern — das kann die Atmosphäre schon elektrisch machen. Und, nehmt es mir nicht übel, junger Mann, ihr Hugenotten verfehlt euch gegen den ersten Satz der Lebensweisheit: daß man das Volk, unter dem man wohnt, nicht durch Mißachtung seiner Sitten
25 beleidigen darf."

„Rechnet Ihr die Religion zu den Sitten eines Volkes?" fragte ich entrüstet.

1. Horaz: Quintus Horatius Flaccus (65–8 B.C.). Horace, the famous Roman author of lyric and satiric poetry. 11. Tobiä: (genitive of Tobias). The book of Tobit is one of the Old Testament apocrypha. "It does not differ in puerile miraculousness from the fantastic extravagances of the Arabian Nights." Montaigne's reference to *Tobit* is satirical and seems to imply that Schadau and Gasparde are too pious, virtuous, and resigned to their duty, as was Tobias, father of Tobit.

„In gewissem Sinne, ja,“ meinte er, „doch diesmal dachte ich nur an die Gebräuche des täglichen Lebens: ihr Hugenotten kleidet euch düster, tragt ernsthafte Mienen, versteht keinen Scherz und seid so steif wie eure Halskragen. Kurz, 5 ihr schließt euch ab, und das bestraft sich in der größten Stadt wie auf dem kleinsten Dorfe! Da verstehen die Guisen das Leben besser! Eben kam ich vorüber, als der Herzog Heinrich vor seinem Palaste abstieg und den umstehenden Bürgern die Hände schüttelte, lustig wie ein Franzose und ge- 10 mütlich wie ein Deutscher! So ist es recht! Sind wir ja Alle vom Weibe geboren und ist doch die Seife nicht teuer!“

Mir schien, als ob der Gascogner schwere Besorgnis unter diesem scherzhaften Tone verberge, und ich wollte ihn weiter zur Rede stellen, als der alte Diener einen Boten des Admi- 15 rals meldete, welcher mich und Gasparde unverzüglich zu sich berief.

Gasparde warf einen dichten Schleier über und wir eilten.

Unterwegs erzählte sie mir, was sie in meiner Abwesenheit ausgestanden. „An deiner Seite durch einen Kugelregen zu 20 reiten, wäre mir ein Spiel dagegen!“ versicherte sie. „Der Pöbel in unsrer Straße ist so giftig geworden, daß ich das Haus nicht verlassen konnte, ohne mit Schimpfworten verfolgt zu werden. Kleidete ich mich nach meinem Stande, so schrie man mir nach: Seht die Übermütige! Legte ich schlichtes 25 Gewand an, so hieß es: Seht die Heuchlerin! — Einen Tag, oder eine Woche hielte man das schon aus; aber wenn man kein Ende davon absieht! — Unsere Lage hier in Paris erinnert mich an die jenes Italieners, den sein Feind in einen Kerker mit vier kleinen Fenstern werfen ließ. Als er am 30 nächsten Morgen erwachte, waren deren nur noch drei, am folgenden zwei, am dritten noch eins, kurz, er begriff, daß sein höllischer Feind ihn in eine Maschine gesperrt hatte, die sich allmählig in einen erdrückenden Sarg verwandelte.“

7. Herzog Heinrich: see p. 23, line 24, note.

Unter diesen Reden waren wir in die Wohnung des Admirals gelangt, der uns sogleich zu sich beschied.

Er saß aufrecht auf seinem Lager, den verwundeten linken Arm in der Schlinge, blaß und ermattet. Neben ihm stand 5 ein Geistlicher mit eisgrauem Barte. Er ließ uns nicht zu Worten kommen.

„Meine Zeit ist gemessen," sprach er, „hört mich an und gehorcht mir! Du, Gasparde, bist mir durch meinen teuern Bruder blutverwandt. Es ist jetzt nicht der Augenblick etwas 10 zu verhüllen, das du weißt und diesem nicht verborgen bleiben darf. — Deiner Mutter ist durch einen Franzosen Unrecht geschehn; ich will nicht, daß auch du unsres Volkes Sünden mitbüßest. Wir bezahlen, was unsre Väter verschuldet haben. Du aber sollst, so viel solches an mir liegt, auf deutscher 15 Erde ein frommes und ruhiges Leben führen."

Dann sich zu mir wendend, fuhr er fort: „Schadau, Ihr werdet Eure Kriegsschule nicht unter mir durchmachen. Hier sieht es dunkel aus. Mein Leben geht zur Neige und mein Tod ist der Bürgerkrieg. Mischt Euch nicht darein, ich ver- 20 biete es Euch. — Reicht Gasparde die Hand, ich gebe sie Euch zum Weibe. Führt sie ohne Säumnis in Eure Heimat. Verlaßt dieses ungesegnete Frankreich, sobald Ihr meinen Tod erfahrt. Bereitet ihr eine Stätte auf Schweizerboden; dann nehmt Dienste unter dem Prinzen von Oranien und 25 kämpft für die gute Sache!" —

Jetzt winkte er dem Greise und forderte ihn auf, uns zu trauen.

„Macht es kurz," flüsterte er, „ich bin müde und bedarf Ruhe."

30 Wir ließen uns an seinem Lager auf die Kniee nieder und der Geistliche verrichtete sein Amt, unsre Hände zusammenfügend und die liturgischen Worte aus dem Gedächtnisse sprechend.

Dann segnete uns der Admiral mit seiner ebenfalls verstümmelten Rechten.

„Lebt wohl!" schloß er, legte sich nieder uud kehrte sein Antlitz gegen die Wand.

Da wir zögerten, das Gemach zu verlassen, hörten wir noch die gleichmäßigen Atemzüge des ruhig Entschlummerten. Schweigend und in wunderbarer Stimmung kamen wir zurück und fanden Chatillon noch in lebhaftem Gespräche mit Herrn Montaigne.

„Gewonnen Spiel!" jubelte dieser, „der Papa willigt ein, und ich selbst will ihm seinen Koffer packen, denn darauf verstehe ich mich vortrefflich." —

„Geht, lieber Oheim!" mahnte Gasparde, „und macht Euch keine Sorge um mich. Das ist von nun an die Sache meines Gemahls." Und sie drückte meine Hand an ihre Brust. Auch ich drang in den Rat, mit Montaigne zu verreisen.

Da mit einem Male, wie wir alle ihm zuredeten und ihn überzeugt glaubten, fragte er: „Hat der Admiral Paris verlassen?" Und als er hörte, Coligny bleibe und werde trotz des Drängens der Seinigen bleiben, auch wenn sein Zustand die Abreise erlauben sollte, da rief Chatillon mit glänzenden Augen und mit einer festen Stimme, die ich nicht an ihm kannte:

„So bleibe auch ich! Ich bin im Leben oftmals feig und selbstsüchtig gewesen; ich stand nicht zu meinen Glaubensgenossen wie ich sollte; in dieser letzten Stunde aber will ich sie nicht verlassen."

Montaigne biß sich die Lippe. Unser aller Zureden fruchtete nun nichts mehr, der Alte blieb bei seinem Entschlusse.

Jetzt klopfte ihm der Gascogner auf die Schulter und sagte mit einem Anfluge von Hohn:

„Alter Junge, du betrügst dich selbst, wenn du glaubst, daß du aus Heldenmut so handelst. Du tust es aus Be-

8. **Gewonnen Spiel**: the neuter termination of the adjective is frequently dropped in familiar conversation and in poetry. See **Spiel** in the Vocabulary.

quemlichkeit. Du bist zu träge geworden, dein behagliches Nest zu verlassen selbst auf die Gefahr hin, daß der Sturm es morgen wegfegt. Das ist auch ein Standpunkt und in deiner Weise hast du recht." —

5 Jetzt verwandelte sich der spöttische Ausdruck auf seinem Gesichte in einen tief schmerzlichen, er umarmte Chatillon, küßte ihn und schied eilig.

Der Rat, welcher seltsam bewegt war, wünschte allein zu sein.

10 „Verlaßt mich, Schadau!" sagte er, mir die Hand drückend, „und kommt heute abend noch einmal vor Schlafengehen." —

Gasparde, die mich begleitete, ergriff unter der Türe plötzlich das Reisepistol, das noch in meinem Gürtel stak.

„Laß das!" warnte ich. „Es ist scharf geladen."

15 „Nein," lachte sie, den Kopf zurückwerfend, „ich behalte es als Unterpfand, daß du uns diesen Abend nicht versäumst!" und sie entfloh damit ins Haus.

Achtes Kapitel

Auf meinem Zimmer lag ein Brief meines Oheims im gewohnten Format, mit den wohlbekannten altmodischen Zügen
20 überschrieben. Der rote Abdruck des Siegels mit seiner Devise: Pèlerin et Voyageur! war diesmal unmäßig groß geraten.

Noch hielt ich das Schreiben uneröffnet in der Hand, als Boccard ohne anzuklopfen hereinstürzte.

25 „Hast du dein Versprechen vergessen, Schadau?" rief er mir zu.

„Welches Versprechen?" fragte ich mißmutig.

„Schön!" versetzte er mit einem kurzen Lachen, das ge-

21. *Pèlerin et Voyageur*: see *voyageur* in the Vocabulary. Meyer was fond of regarding himself as a pilgrim in his later years. At the close of his *Gedichte* is an epilogue entitled *Ein Pilgrim*. Cp. p. 88, line 26.

zwungen klang. „Wenn das so fortgeht, so wirst du näch=
stens deinen eigenen Namen vergessen! Am Vorabende deiner
Abreise nach Orleans, in der Schenke zum Mohren, hast du
mir feierlich gelobt, dein längst gegebenes Versprechen zu lösen
5 und unsern Landsmann, den Hauptmann Pfyffer, einmal zu
begrüßen. Ich lud dich dann in seinem Auftrage zu seinem
Namensfeste in das Louvre ein.

„Heute nun ist Bartholomäustag. Der Hauptmann hat
zwar viele Namen, wohl acht bis zehn; da aber unter diesen
10 allen der geschundene Barthel in seinen Augen der größte
Heilige und Märtyrer ist, so feiert er als guter Christ diesen
Tag in besondrer Weise. Bliebest du weg, er legte dir's als
hugenottischen Starrsinn aus." —

Ich besann mich freilich, von Boccard häufig mit solchen
15 Einladungen bestürmt worden zu sein und ihn von Woche zu
Woche vertröstet zu haben. Daß ich ihm auf heute zugesagt,
war mir nicht erinnerlich, aber es konnte sein.

„Boccard," sagte ich, „heute ist mir's ungelegen. Entschul=
dige mich bei Pfyffer und laß mich zu Hause."

20 Nun aber begann er auf die wunderlichste Weise in mich
zu dringen, jetzt scherzend und kindischen Unsinn vorbringend,
jetzt flehentlich mich beschwörend. Zuletzt fuhr er auf:

„Wie? Hältst du so dein Ehrenwort?" — Und unsicher
wie ich war, ob ich nicht doch vielleicht mein Wort gegeben,
25 konnte ich diesen Vorwurf nicht auf mir sitzen lassen und
willigte endlich, wenn auch bitter ungern, ein, ihn zu begleiten.
Ich marktete, bis er versprach in einer Stunde mich freizu=
geben, und wir gingen nach dem Louvre.

3. Mohren: cp. p. 26, iine 11. 7. Namensfest: is celebrated in Roman Catholic countries instead of the birthday, and is the day dedicated to the saint whose name one bears. 8. Bartholomäustag: see the Introduction, p. 10. 10. Barthel: an abbreviation of Bartholomäus, one of the twelve apostles. According to tradition he was flayed alive and crucified, head downwards, in Armenia or Cilicia.

Paris war ruhig. Wir trafen nur einzelne Gruppen von Bürgern, die sich über den Zustand des Admirals flüsternd besprachen.

Pfyffer hatte ein Gemach zu ebener Erde im großen Hofe
5 des Louvre inne. Ich war erstaunt, seine Fenster nur spärlich erleuchtet zu sehn und Totenstille zu finden statt eines fröhlichen Festlärms. Wie wir eintraten, stand der Hauptmann allein in der Mitte des Zimmers, vom Kopfe bis zu den Füßen bewaffnet und in eine Depesche vertieft, die er
10 aufmerksam zu lesen, ja zu buchstabieren schien, denn er folgte den Zeilen mit dem Zeigefinger der linken Hand. Er wurde meiner ansichtig und, auf mich zutretend, fuhr er mich barsch an:

„Euren Degen, junger Herr! Ihr seid mein Gefangener." — Gleichzeitig näherten sich zwei Schweizer, die im
15 Schatten gestanden hatten. Ich trat einen Schritt zurück.

„Wer gibt Euch ein Recht an mich, Herr Hauptmann?" — rief ich aus. „Ich bin der Schreiber des Admirals."

Ohne mich einer Antwort zu würdigen, griff er mit eigner Hand nach meinem Degen und bemächtigte sich desselben. Die
20 Überraschung hatte mich so außer Fassung gebracht, daß ich an keinen Widerstand dachte.

„Tut eure Pflicht!" befahl Pfyffer. Die beiden Schweizer nahmen mich in die Mitte und ich folgte ihnen wehrlos, einen Blick grimmigen Vorwurfs auf Boccard werfend. Ich konnte
25 mir nichts anders denken, als daß Pfyffer einen königlichen Befehl erhalten habe, mich wegen meines Zweikampfes mit Guiche in Haft zu nehmen.

Zu meinem Erstaunen wurde ich nur wenige Schritte weit nach der mir wohlbekannten Kammer Boccards geführt. Der
30 eine Schweizer zog einen Schlüssel hervor und versuchte zu öffnen, aber vergeblich. Es schien ihm in der Eile ein unrechter übergeben worden zu sein, und er sandte seinen Kameraden zurück, um von Boccard, der bei Pfyffer geblieben war, den rechten zu fordern.

In dieser kurzen Frist vernahm ich lauschend die rauhe, scheltende Stimme des Hauptmanns: „Euer freches Stücklein kann mich meine Stelle kosten! In dieser Teufelsnacht wird uns hoffentlich keiner zur Rede stellen, doch wie bringen wir 5 morgen den Ketzer aus dem Louvre fort? Die Heiligen mögen mir's verzeihn, daß ich einem Hugenotten das Leben rette, — aber einen Landsmann und Bürger von Bern dürfen wir von diesen verfluchten Franzosen auch nicht abschlachten lassen, — da habt Ihr wiederum recht, Boccard ..."

10 Jetzt ging die Türe auf, ich stand in dem dunkeln Gelaß, der Schlüssel wurde hinter mir gedreht und ein schwerer Riegel vorgeschoben.

Ich durchmaß das mir von manchem Besuche her wohlbekannte Gemach, in quälenden Gedanken auf- und nieder- 15 schreitend, während sich das mit Eisenstäben vergitterte, hochgelegene Fenster allmählig erhellte, denn der Mond ging auf. Der einzige wahrscheinliche Grund meiner Verhaftung, ich mochte die Sache wenden wie ich wollte, war und blieb der Zweikampf. Unerklärlich waren mir freilich Pfyffers unmutige 20 letzte Worte; aber ich konnte dieselben mißhört haben, oder der tapfere Hauptmann war etwas bezecht. Noch unbegreiflicher, ja haarsträubend, erschien mir das Benehmen Boccards, dem ich nie uud nimmer einen so schmählichen Verrat zugetraut hätte.

25 Je länger ich die Sache übersann, in desto beunruhigendere Zweifel und unlösbarere Widersprüche verstrickte ich mich.

Sollte wirklich ein blutiger Plan gegen die Hugenotten bestehn? War das denkbar? Konnte der König, wenn er nicht von Sinnen war, in die Vernichtung einer Partei wil- 30 ligen, deren Untergang ihn zum willenlosen Sklaven seiner ehrgeizigen Vettern von Lothringen machen mußte?

Oder war ein neuer Anschlag auf die Person des Admirals geschmiedet, und wollte man einen seiner treuen Diener von ihm entfernen? Aber ich erschien mir zu unbedeutend, als daß man zuerst an mich gedacht hätte. Der König hatte heftig gezürnt über die Verwundung des Admirals. Konnte ein Mensch, ohne dem Wahnsinne verfallen zu sein, von warmer Neigung zu stumpfer Gleichgültigkeit oder wildem Hasse in der Frist weniger Stunden übergehn?

Während ich so meinen Kopf zerarbeitete, schrie mein Herz, daß mein Weib mich zu dieser Stunde erwarte, die Minuten zähle, und ich hier gefangen sei, ohne ihr Nachricht geben zu können.

Noch immer schritt ich auf und nieder, als die Turmuhr des Louvre schlug; ich zählte zwölf Schläge. Es war Mitternacht. Da kam mir der Gedanke, einen Stuhl an das hohe Fenster zu rücken, in die Nische zu steigen, es zu öffnen und, an die Eisenstäbe mich anklammernd, in die Nacht auszuschauen. Das Fenster blickte auf die Seine. Alles war still. Schon wollte ich wieder ins Gemach herunterspringen, als ich meinen Blick noch über mich richtete und vor Entsetzen erstarrte.

Rechts von mir, auf einem Balkon des ersten Stockwerks, so nahe, daß ich sie fast mit der Hand erreichen konnte, erblickte ich, vom Mondlicht taghell erleuchtet, drei über das Geländer vorgebeugte, lautlos lauschende Gestalten. Mir zunächst der König mit einem Antlitz, dessen nicht unedle Züge die Angst, die Wut, der Wahnsinn zu einem Höllenausdruck verzerrten. Kein Fiebertraum kann schrecklicher sein als diese Wirklichkeit. Jetzt, da ich das längst Vergangene niederschreibe, sehe ich den Unseligen wieder mit den Augen des Geistes — und ich schaudere. Neben ihm lehnte sein Bruder, der Herzog von Anjou, mit dem schlaffen, weibisch grausamen Gesichtchen und schlotterte vor Furcht. Hinter ihnen, bleich und regungslos, die Gefaßteste von Allen, stand Katharina

1. als daß ... hätte: see als in the Vocabulary. The subjunctive is the same as that in conditional sentences contrary to fact. Cp. p. 65, foot-note.

die Mediceerin mit halbgeschlossenen Augen und fast gleichgültiger Miene.

Jetzt machte der König, wie von Gewissensangst gepeinigt, eine krampfhafte Gebärde, als wollte er einen gegebenen Befehl zurücknehmen, und in demselben Augenblicke knallte ein Büchsenschuß, mir schien im Hofe des Louvre.

„Endlich!" flüsterte die Königin erleichtert, und die drei Nachtgestalten verschwanden von der Zinne.

Eine nahe Glocke begann Sturm zu läuten, eine zweite, eine dritte heulte mit; greller Fackelschein glomm auf wie eine Feuersbrunst, Schüsse knatterten und meine gespannte Einbildungskraft glaubte Sterbeseufzer zu vernehmen.

Der Admiral lag ermordet, daran konnte ich nicht mehr zweifeln. Aber was bedeuteten die Sturmglocken, die erst vereinzelt, dann immer häufiger fallenden Schüsse, die Mordrufe, die jetzt von fern an mein lauschendes Ohr drangen? Geschah das Unerhörte? Wurden alle Hugenotten in Paris gemeuchelt?

Und Gasparde, meine mir vom Admiral anvertraute Gasparde, war mit dem wehrlosen Alten diesen Schrecken preisgegeben! Das Haar stand mir zu Berge, das Blut gerann mir in den Adern. Ich rüttelte an der Türe aus allen Kräften, die eisernen Schlösser und das schwere Eichenholz wichen nicht. Ich suchte tastend nach einer Waffe, nach einem Werkzeuge, um sie zu sprengen, und fand keines. Ich schlug mit den Fäusten, stieß mit den Füßen gegen die Türe und schrie nach Befreiung, — draußen im Gange blieb es totenstill.

Wieder schwang ich mich auf in die Fensternische und rüttelte wie ein Verzweifelter an dem Eisengitter, es war nicht zu erschüttern.

Ein Fieberfrost ergriff mich, und meine Zähne schlugen auf einander. Dem Wahnsinne nahe warf ich mich auf Boccards Lager und wälzte mich in tödlicher Bangigkeit. Endlich als der Morgen zu grauen begann, verfiel ich in einen

Zustand zwischen Wachen und Schlummern, der sich nicht beschreiben läßt. Ich meinte mich noch an die Eisenstäbe zu klammern und hinaus zu blicken auf die rastlos flutende Seine. Da plötzlich erhob sich aus ihren Wellen ein halbnacktes, vom
5 Mondlichte beglänztes Weib, eine Flußgöttin auf ihre sprudelnde Urne gestützt, wie sie in Fontainebleau an den Wasserkünsten sitzen, und begann zu sprechen. Aber ihre Worte richteten sich nicht an mich, sondern an eine Steinfrau, die dicht neben mir die Zinne trug, auf welcher die drei fürst-
10 lichen Verschwörer gestanden.

„Schwester,“ frug sie aus dem Flusse, „weißt vielleicht du warum sie sich morden? Sie werfen mir Leichnam auf Leichnam in mein strömendes Bett und ich bin schmierig von Blut. Pfui, pfui! Machen vielleicht die Bettler, die ich abends ihre
15 Lumpen in meinem Wasser waschen sehe, den Reichen den Garaus?“

„Nein,“ raunte das steinerne Weib, „sie morden sich, weil sie nicht einig sind über den richtigen Weg zur Seligkeit.“ — Und ihr kaltes Antlitz verzog sich zum Hohn, als belache sie
20 eine ungeheure Dummheit ...

In diesem Augenblicke knarrte die Türe, ich fuhr auf aus meinem Halbschlummer und erblickte Boccard, blaß und ernst wie ich ihn noch nie gesehen hatte, und hinter ihm zwei seiner Leute, von welchen einer einen Laib Brot und eine Kanne
25 Wein trug.

„Um Gotteswillen, Boccard,“ rief ich und stürzte ihm entgegen, „was ist heute nacht vorgegangen? ... Sprich!“

Er ergriff meine Hand und wollte sich zu mir auf das Lager setzen. Ich sträubte mich und beschwor ihn zu reden.
30 „Beruhige dich!“ sagte er. „Es war eine schlimme Nacht. Wir Schweizer können nichts dafür, der König hat es befohlen.“ —

„Der Admiral ist tot?“ frug ich, ihn starr ansehend.

Er bejahte mit einer Bewegung des Hauptes.

„Und die andern hugenottischen Führer?“ —

„Tot. Wenn nicht der eine oder andere, wie der Navarrese, durch besondere Gunst des Königs verschont blieb.“ —

„Ist das Blutbad beendigt?“ —

5 „Nein, noch wütet es fort in den Straßen von Paris. Kein Hugenott darf am Leben bleiben.“ —

Jetzt zuckte mir der Gedanke an Gasparde wie ein glühender Blitz durchs Gehirn und alles andere verschwand im Dunkel.

„Laß mich!“ schrie ich. „Mein Weib! mein armes Weib!“—

10 Boccard sah mich erstaunt und fragend an. „Dein Weib? Bist du verheiratet?“ —

„Gieb Raum, Unseliger!“ rief ich und warf mich auf ihn, der mir den Ausweg vertrat. Wir rangen miteinander und ich hätte ihn übermannt, wenn nicht einer seiner Schweizer 15 ihm zu Hilfe gekommen wäre, indes der andere die Türe bewachte.

Ich wurde auf das Knie gedrückt.

„Boccard!“ stöhnte ich. „Im Namen des barmherzigen Gottes — bei allem, was dir teuer ist — bei dem Haupte deines 20 Vaters — bei der Seligkeit deiner Mutter — erbarm dich meiner und laß mich frei! Ich sage dir, Mensch, daß mein Weib da draußen ist — daß sie vielleicht in diesem Augenblicke gemordet — daß sie vielleicht in diesem Augenblicke mißhandelt wird! Oh, oh!“ — und ich schlug mit geballter Faust gegen 25 die Stirn.

Boccard erwiderte begütigend, wie man mit einem Kranken spricht: „Du bist von Sinnen, armer Freund! Du könntest nicht fünf Schritte ins Freie tun, bevor dich eine Kugel niederstreckte! Jedermann kennt dich als den Schreiber des Admi-30 rals. Nimm Vernunft an! Was du verlangst, ist unmöglich.“—

Jetzt begann ich auf den Knieen liegend zu schluchzen wie ein Kind.

2. der Navarrese: *i. e.* King Henry of Navarre. See p. 66, line 5.

Noch einmal, halb bewußtlos wie ein Ertrinkender, erhob ich das Auge nach Rettung, während Boccard schweigend die im Ringen zerrissene Seidenschnur wieder zusammenknüpfte, an der die Silbermünze mit dem Bildnis der Madonna tief
5 niederhing.

„Im Namen der Muttergottes von Einsiedeln!" — flehte ich mit gefalteten Händen.

Jetzt stand Boccard wie gebannt, die Augen nach oben gewendet und etwas murmelnd wie ein Gebet. Dann be-
10 rührte er das Medaillon mit den Lippen und schob es sorgfältig wieder in sein Wams.

Noch schwiegen wir beide, da trat, eine Depesche emporhaltend, ein junger Fähnrich ein.

„Im Namen des Königs und auf Befehl des Hauptmanns,"
15 sagte er, „nehmt zwei Eurer Leute, Herr Boccard, und überbringt eigenhändig diese Order dem Kommandanten der Bastille." — Der Fähnrich trat ab.

Jetzt eilte Boccard, nach einem Augenblicke des Besinnens, das Schreiben in der Hand, auf mich zu:

20 „Tausche schnell die Kleider mit Cattani hier!" flüsterte er. „Ich will es wagen. Wo wohnt sie?" —

„Isle St. Louis." —

„Gut. Labe dich noch mit einem Trunke, du hast Kraft nötig."

25 Nachdem ich eilig meiner Kleider mich entledigt, warf ich mich in die Tracht eines königlichen Schweizers, gürtete das Schwert um, ergriff die Hellebarde und Boccard, ich und der zweite Schweizer, wir stürzten ins Freie.

17. Bastille: the *Bastille*, a famous old prison in Paris, was built between 1370 and 1383. It was destroyed at the breaking out of the French revolution by a Parisian mob on the 15th of July, 1789.

Neuntes Kapitel

Schon im Hofe des Louvre bot sich meinen Augen ein schrecklicher Anblick. Die Hugenotten vom Gefolge des Königs von Navarra lagen hier, frisch getötet, manche noch röchelnd, in Haufen übereinander. Längs der Seine weiter eilend begegneten wir auf jedem Schritte einem Greuel. Hier lag ein armer Alter mit gespaltetem Schädel in seinem Blute, dort sträubte sich ein totenblasses Weib in den Armen eines rohen Lanzenknechts. Eine Gasse lag still wie das Grab, aus einer andern erschollen noch Hilferufe und mißtönige Sterbeseufzer.

Ich aber, unempfindlich für diese unfaßbare Größe des Elends, stürmte wie ein Verzweifelter vorwärts, so daß mir Boccard und der Schweizer kaum zu folgen vermochten. Endlich war die Brücke erreicht und überschritten. Ich stürzte in vollem Laufe nach dem Hause des Rats, die Augen nnverwandt auf seine hochgelegenen Fenster geheftet. An einem derselben wurden ringende Arme sichtbar, eine menschliche Gestalt mit weißen Haaren ward hinausgedrängt. Der Unglückliche, es war Chatillon, klammerte sich einen Augenblick noch mit schwachen Händen an das Gesims, dann ließ er es los und stürzte auf das Pflaster. An dem Zerschmetterten vorüber, erklomm ich in wenigen Sprüngen die Treppe und stürzte in das Gemach. Es war mit Bewaffneten gefüllt und ein wilder Lärm erscholl aus der offenen Türe des Bibliothekzimmers. Ich bahnte mir mit meiner Hellebarde den Weg und erblickte Gasparde, in eine Ecke gedrängt und von einer gierigen, brüllenden Meute umstellt, die sie, mein Pistol in der Hand und bald auf diesen, bald auf jenen zielend, von sich abhielt. Sie war farblos wie ein Wachsbild und aus ihren weit geöffneten blauen Augen sprühte ein schreckliches Feuer.

Alles vor mir niederwerfend, mit einem einzigen Anlaufe, war ich an ihrer Seite, und „Gott sei Dank, du bist es!" rief sie noch und sank mir dann bewußlos in die Arme.

Unterdessen war Boccard mit dem Schweizer nachgedrungen. 5 „Leute!" drohte er, „im Namen des Königs verbiete ich euch, diese Dame nur mit einem Finger zu berühren! Zurück, wem sein Leben lieb ist! Ich habe Befehl, sie ins Louvre zu bringen!"

Er war neben mich getreten und ich hatte die ohnmächtige 10 Gasparde in den Lehnstuhl des Rats gelegt.

Da sprang aus dem Getümmel ein scheußlicher Mensch mit blutigen Händen und blutbeflecktem Gesichte hervor, in dem ich den verfemten Lignerolles erkannte.

„Lug und Trug!" schrie er, „das, Schweizer? — Ver-15 kappte Hugenotten sind's und von der schlimmsten Sorte! Dieser hier — ich kenne dich wohl, vierschrötiger Halunke — hat den frommen Grafen Guiche gemordet und jener war dabei. Schlagt tot! Es ist ein verdienstliches Werk, diese schurkischen Ketzer zu vertilgen! Aber rührt mir das Mädel 20 nicht an — die ist mein!" —

Und der Verwilderte warf sich wütend auf mich.

„Bösewicht," rief Boccard, „dein Stündlein ist gekommen! Stoß zu, Schadau!" Rasch drängte er mit geschickter Parade die ruchlose Klinge in die Höhe und ich stieß dem Buben mein 25 Schwert bis an das Heft in die Brust. Er stürzte.

Ein rasendes Geheul erhob sich aus der Rotte.

„Weg von hier!" winkte mir der Freund. „Nimm dein Weib auf den Arm und folge mir!"

Jetzt griffen Boccard und der Schweizer mit Hieb und 30 Stoß das Gesindel an, das uns von der Türe trennte, und brachen eine Gasse, durch die ich, Gasparde tragend, schleunig nachschritt.

Wir gelangten glücklich die Treppen hinunter und betraten

14. das, Schweizer: see Schweizer in the Vocabulary.

die Straße. Hier hatten wir vielleicht zehn Schritte getan, da fiel ein Schuß aus einem Fenster. Boccard schwankte, griff mit unsicherer Hand nach dem Medaillon, riß es hervor, drückte es an die erblassenden Lippen und sank nieder.

5 Er war durch die Schläfe getroffen. Der erste Blick überzeugte mich, daß ich ihn verloren hatte, der zweite, nach dem Fenster gerichtete, daß ihn der Tod aus meinem Reiterpistol getroffen, welches Gaspardes Hand entfallen war und das jetzt der Mörder frohlockend emporhielt. Die scheußliche 10 Horde an den Fersen, riß ich mich mit blutendem Herzen von dem Freunde los, bei dem sein treuer Soldat niederkniete, bog um die nahe Ecke in das Seitengäßchen, wo meine Wohnung gelegen war, erreichte sie unbemerkt und eilte durch das ausgestorbene Haus mit Gasparde hinauf in meine 15 Kammer.

Auf dem Flur des ersten Stockwerkes schritt ich durch breite Blutlachen. Der Schneider lag ermordet, sein Weib und seine vier Kinder, am Herd in ein Häuflein zusammengesunken, schliefen den Todesschlummer. Selbst der kleine 20 Pudel, des Hauses Liebling, lag verendet bei ihnen. Blutgeruch erfüllte das Haus. Die letzte Treppe ersteigend, sah ich mein Zimmer offen, die halbzerschmetterte Türe schlug der Wind auf und zu.

Hier hatten die Mörder, da sie mein Lager leer fanden, 25 nicht lange geweilt, das ärmliche Aussehen meiner Kammer versprach ihnen keine Beute. Meine wenigen Bücher lagen zerrissen auf dem Boden zerstreut, in eines derselben hatte ich, als mich Boccard überraschte, den Brief meines Ohms geborgen, er war herausgefallen und ich steckte ihn zu mir. 30 Meine kleine Barschaft trug ich noch von der Reise her in einem Gurt auf dem Leibe.

Ich hatte Gasparde auf mein Lager gebettet, wo die Bleiche zu schlummern schien, und stand neben ihr, überlegend, was zu tun sei. Sie war unscheinbar wie eine Dienerin gekleidet, wohl in der Absicht mit ihrem Pflegevater zu fliehen. Ich trug die Tracht der Schweizergarde.

Ein wilder Schmerz bemächtigte sich meiner über all das frevelhaft vergossene teure und unschuldige Blut. „Fort aus 5 dieser Hölle!“ sprach ich halblaut vor mich hin.

„Ja, fort aus dieser Hölle!“ wiederholte Gasparde, die Augen öffnend und sich auf dem Lager in die Höhe richtend. „Hier ist unsres Bleibens nicht! Zum ersten nächsten Tore hinaus!“

10 „Bleibe noch ruhig!“ erwiderte ich. „Unterdessen wird es Abend und die Dämmerung erleichtert uns vielleicht das Entrinnen.“ —

„Nein, nein,“ versetzte sie bestimmt, „keinen Augenblick länger bleibe ich in diesem Pfuhl! Was liegt am Leben, 15 wenn wir zusammen sterben! Laß uns geradenwegs auf das nächste Tor zugehn. Werden wir überfallen und wollen sie mich mißhandeln, so erstichst du mich und erschlägst ihrer zwei oder drei, so sterben wir nicht ungerächt. — Versprich mir das!“ —

20 Nach einigem Überlegen willigte ich ein, da es auch mir besser schien, um jeden Preis der Not ein Ende zu machen. Konnte doch der Mord morgen von neuem beginnen, waren doch die Tore nachts strenger bewacht als am Tage.

Wir machten uns auf den Weg, durch die blutgetränkten 25 Gassen langsam neben einander wandelnd unter einem wolkenlosen, dunkelblauen Augusthimmel.

Unangefochten erreichten wir das Tor.

Im Torwege vor dem Pförtchen der Wachtstube stand mit verschränkten Armen ein lothringischer Kriegsmann mit der 30 Feldbinde der Guisen, der uns mit stechendem Blicke musterte.

„Zwei wunderliche Vögel!“ lachte er. „Wo hinaus, Herr Schweizer, mit Euerm Schwesterchen?“

8. unseres Bleibens: see Bleiben in the Vocabulary, and p. 22. line 28.

Das Schwert lockernd schritt ich näher, entschlossen ihm die Brust zu durchbohren; denn ich war des Lebens und der Lüge müde.

„Bei den Hörnern des Satans! Seid Ihr es, Herr 5 Schadau?" sagte der lothringische Hauptmann, bei dem letzten Worte seine Stimme dämpfend. „Tretet ein, hier stört uns niemand."

Ich blickte ihm ins Gesicht und suchte mich zu erinnern. Mein ehemaliger böhmischer Fechtmeister tauchte mir auf.

10 „Ja freilich bin ich es," fuhr er fort, da er meinen Gedanken mir im Auge las, „und bin's, wie mir dünkt, zur gelegenen Stunde."

Mit diesen Worten zog er mich in die Stube und Gasparde folgte.

15 In dem dumpfigen Raume lagen auf einer Bank zwei betrunkene Kriegsknechte, Würfel und Becher neben ihnen am Boden.

„Auf, ihr Hunde!" fuhr sie der Hauptmann an. Der eine erhob sich mühsam. Er packte ihn am Arme und stieß 20 ihn vor die Türe mit den Worten: „Auf die Wache, Schuft! Du bürgst mir mit deinem Leben, daß niemand passiert!" — Den andern, der nur einen grunzenden Ton von sich gegeben hatte, warf er von der Bank und stieß ihn mit dem Fuße unter dieselbe, wo er ruhig fortschnarchte.

25 „Jetzt belieben die Herrschaften Platz zu nehmen!" und er zeigte mit einer kavaliermäßigen Handbewegung auf den schmutzigen Sitz.

Wir ließen uns nieder, er rückte einen zerbrochenen Stuhl herbei, setzte sich rittlings darauf, den Ellbogen auf die Lehne 30 stützend, und begann in familiärem Tone:

„Nun laßt uns plaudern! Euer Fall ist mir klar, Ihr braucht ihn mir nicht zu erläutern. Ihr wünscht einen Paß nach der Schweiz, nicht wahr? — Ich rechne es mir zur Ehre,

9. böhmischer Fechtmeister: see p. 19, line 23, and the following.

Euch einen Gegendienst zu leisten für die Gefälligkeit, mit der Ihr mir seinerzeit das schöne württembergische Siegel gezeigt habt, weil Ihr wußtet, ich sei ein Kenner. Eine Hand wäscht die andere. Siegel gegen Siegel. Diesmal kann ich Euch
5 mit einem aushelfen."

Er kramte in seiner Brieftasche und zog mehrere Papiere heraus.

„Seht, als ein vorsichtiger Mann ließ ich mir für alle Fälle von meinem gnädigen Herzog Heinrich für mich und
10 meine Leute, die wir gestern nacht dem Admiral unsre Aufwartung machten," diese Worte begleitete er mit einer Mordgebärde, vor der mir schauderte, „die nötigen Reisepapiere geben. Der Streich konnte fehlen. Nun, die Heiligen haben sich dieser guten Stadt Paris angenommen! — Einer der
15 Pässe — hier ist er — lautet auf einen beurlaubten königlichen Schweizer, den Fourier Koch. Steckt ihn zu Euch! er gewährt Euch freie Straße durch Lothringen an die Schweizergrenze. Das wäre nun in Ordnung. — Was das Fortkommen mit Euerm Schätzchen betrifft, zu dem ich Euch, ohne Schmei-
20 chelei, Glück wünsche," hier verneigte er sich gegen Gasparde, „so wird die schöne Dame schwerlich gut zu Fuße sein. Da kann ich Euch denn zwei Gäule abtreten, einen sogar mit Damensattel — denn auch ich bin nicht ungeliebt und pflege selbander zu reiten. Ihr gebt mir dafür vierzig Goldgulden,
25 bar, wenn Ihr es bei Euch habt, sonst genügt mir Euer Ehrenwort. Sie sind etwas abgejagt, denn wir wurden Hals über Kopf nach Paris aufgeboten; aber bis an die Grenze werden sie noch dauern." Und er rief durch das Fensterchen einem Stalljungen, der am Tore herumlungerte, den Befehl
30 zu, schleunig zu satteln.

Während ich ihm das Geld, fast mein ganzes Besitztum, auf die Bank vorzählte, sagte der Böhme:

9. **Herzog Heinrich**: see p. 23, line 24. 18. **wäre**: see the Vocabulary under sein. The potential subjunctive softens the assertion.

„Ich habe mit Vergnügen vernommen, daß Ihr Euerm Fechtmeister Ehre gemacht habt. Freund Lignerolles hat mir alles erzählt. Er wußte Euern Namen nicht, aber ich erkannte Euch gleich aus seiner Beschreibung. Ihr habt den Guiche
5 erstochen! Alle Wetter, das will etwas heißen. Ich hätte Euch das nie zugetraut. Freilich meinte Lignerolles, Ihr hättet Euch die Brust etwas gepanzert. Das sieht Euch nicht gleich, doch zuletzt hilft sich jeder wie er kann."

Während dieses grausigen Geplauders saß Gasparde stumm
10 und bleich. Jetzt wurden die Tiere vorgeführt, der Böhme half ihr, die unter seiner Berührung zusammenschrak, kunstgerecht in den Sattel, ich schwang mich auf das andere Roß, der Hauptmann grüßte, und wir sprengten durch den hallenden Torweg und über die donnernde Brücke gerettet von dannen.

Zehntes Kapitel

15 Zwei Wochen später, an einem frischen Herbstmorgen ritt ich mit meinem jungen Weibe die letzte Höhe des Gebirgszuges hinan, der die Freigrafschaft von dem neuenburgischen Gebiete trennt. Der Grat war erklommen, wir ließen unsre Pferde grasen und setzten uns auf ein Felsstück.

20 Eine weite friedliche Landschaft lag in der Morgensonne vor uns ausgebreitet. Zu unsern Füßen leuchteten die Seen von Neuenburg, Murten und Biel; weiterhin dehnte sich das frischgrüne Hochland von Freiburg mit seinen schönen Hügellinien und dunkeln Waldsäumen; die eben sich entschleiernden
25 Hochgebirge bildeten den lichten Hintergrund.

„Dies schöne Land also ist deine Heimat und endlich evangelischer Boden?" fragte Gasparde.

Ich zeigte ihr links das in der Sonne blitzende Türmchen des Schlosses Chaumont.

„Dort wohnt mein guter Ohm. Noch ein paar Stunden, und er heißt dich als sein geliebtes Kind willkommen! — Hier unten an den Seen ist evangelisches Land, aber dort drüben, wo du die Turmspitzen von Freiburg erkennen kannst, beginnt 5 das katholische.“ —

Als ich Freiburg nannte, verfiel Gasparde in Gedanken. „Boccards Heimat!“ sagte sie dann. „Erinnerst du dich noch, wie froh er an jenem Abende war, als wir uns zum ersten Male bei Melun begegneten! Nun erwartet ihn sein Vater 10 vergebens, — und für mich ist er gestorben.“

Schwere Tropfen sanken von ihren Wimpern.

Ich antwortete nicht, aber blitzschnell zog an meiner Seele die Geschichte der verhängnisvollen Verkettung meines Loses mit dem meines heitern Landsmannes vorüber, und meine 15 Gedanken verklagten und entschuldigten sich unter einander.

Unwillkürlich griff ich an meine Brust auf die Stelle, wo Boccards Medaille mir den Todesstoß aufgehalten hatte.

Es knisterte in meinem Wams wie Papier; ich zog den vergessenen, noch ungelesenen Brief meines Ohms heraus und 20 erbrach das unförmliche Siegel. Was ich las versetzte mich in schmerzliches Erstaunen. Die Zeilen lauteten:

Lieber Hans!

Wenn Du dieses liesest, bin ich aus dem Leben oder vielmehr bin ich in das Leben gegangen.

25 Seit einigen Tagen fühle ich mich sehr schwach, ohne gerade krank zu sein. In der Stille leg' ich ab Pilgerschuh' und Wanderstab. Dieweil ich noch die Feder führen kann, will ich Dir selbst meine Heimfahrt melden und den Brief an Dich eigenhändig überschreiben, damit eine fremde Hand-30 schrift Dich nicht betrübe. — Bin ich hinüber, so hat der alte

26. In der Stille . . . Wanderstab: a fragment of old Huguenot verse according to W. Uhl, *C. F. Meyer* (*Sammlung gemeinverst. wissenschaftl. Vorträge. Neue Folge* XV, 421-468, p. 40). Cf. p. 72, line 21.

Jochem den Auftrag ein Kreuz zu meinem Namen zu setzen und den Brief zu siegeln. Rot, nicht schwarz. Ziehe auch kein Trauergewand um mich an, denn ich bin in der Freude. Ich lasse Dir mein irdisches Gut, vergiß Du das himmlische
5 nicht. Dein treuer Ohm Renat.

Daneben war mit ungeschickter Hand ein großes Kreuz gemalt. Ich kehrte mich ab und ließ meinen Tränen freien Lauf. Dann erhob ich das Haupt und wandte mich zu Gasparde, die mit gefalteten Händen an meiner Seite stand, um
10 sie in das verödete Haus meiner Jugend einzuführen.

ABBREVIATIONS

acc. = accusative.
adj. = adjective.
adv. = adverb.
art. = article.
comp. = comparative.
conj. = conjunction.
co-ord. = co-ordinating.
dat. = dative.
demonstr. = demonstrative.
f. = feminine.
gen. = genitive.
h. = haben.
impers. = impersonal.
indecl. = indeclinable.
interrog. = interrogative.
intr. = intransitive.
interj. = interjection.
m. = masculine.
n. = neuter.
num. = numeral.
part. = participle.
perf. = perfect.
pers. = personal.
pl. = plural.
poss. = possessive.
prep. = preposition.
pres. = present.
pron. = pronoun.
refl. = reflexive.
rel. = relative.
ſ. = ſein.
tr. = transitive.

VOCABULARY

(The genitive of nouns is indicated when it differs from the nominative. A dash (–) represents the word as it appears in the Vocabulary. Mann, *m.*, -es, ⁿer = Mann, *masculine gender*, Mannes (*gen. sing.*), Männer (*plural*). Separable prefixes are distinguished by means of the accent. The principal parts of irregular or strong verbs only are given. In the case of verbs with separable prefixes, *e.g.*, ab=hangen, hing –, -gehangen, the dash indicates the prefix. Verbs that have sein as their auxiliary of tense are marked thus, (s.). All others take haben.)

A

ab, *adv.*, off; down; away from.

ab′brechen (brach –, -gebrochen), *tr.*, to break off.

Ab′druck (–[e]s, ⁿe), *m.*, impression.

A′bend (-s, -e), *m.*, evening; gestern abend, last evening *or* night; heute abend, this evening *or* to-night.

a′bends, *adv.*, in the evening.

A′bendpredigt (–, -en), *f.*, evening sermon.

A′bendtisch (-es, -e), *m.*, evening meal, supper.

A′bendtrunk (-[e]s, -e), *m.*, evening drink *or* draught, "nightcap."

A′benteuer (-s, –), *n.*, adventure.

a′benteuerlich, *adj.*, adventurous, strange.

a′ber, *conj.*, but, yet, however.

A′berglaube (-ns), *m.*, superstition.

ab′geben (gab –, -gegeben), *refl.*, sich mit etwas –, to meddle with a thing, occupy *or* busy one's self with a thing.

ab′gegriffen, *part. adj.*, (abgreifen), well-thumbed.

ab′geschlossen, *part. adj.*, (abschließen), secluded.

ab′gesehen (von), *perf. part.*, not considering.

ab′gewinnen (gewann –, -gewonnen), *tr.*, to win; Interesse –, to take interest.

Ab′gott (-es, ⁿer), *m.*, idol.

Ab′grund (-[e]s, ⁿe), *m.*, abyss, precipice.

ab′halten (hielt –, -gehalten), *tr.*, to keep away, ward off; sich – lassen, to stop, desist from.

ab′hangen, (hing –, -gehangen), *intr.*, to depend upon (von).

ab′hauen (hieb –, -gehauen), *tr.*, to cut off.

ab′holen, *tr.*, to fetch; – lassen, to send for.

ab′jagen, *tr.*, to jade.

ab′kehren, *refl.*, to turn aside.

Ab′kunft, *f.*, descent, origin.

ab′kürzen, *tr.*, to shorten; den Weg –, to take a short cut.

ab′laufen (lief –, -gelaufen), *intr.*, (s.), to end.

ab'legen, *tr.*, to lay aside.
ab'machen, *tr.*, to finish, settle, arrange.
ab'malen, *tr.*, (to paint), describe; represent.
ab'markten, *tr.*, (*rarely used* = abdingen), to haggle, cheapen, "beat down" (one's price); mir etwas –, to knock off something from my price.
ab'nehmen (nahm –, -genommen), *tr.*, to take off *or* away.
Ab'neigung, *f.*, aversion.
ab'nötigen, *tr.*, to force from.
Ab'reise, *f.*, departure.
ab'schaffen, *tr.*, to abolish.
Ab'schied (-[e]s, -e), *m.*, departure, leave; – nehmen, to take leave.
ab'schlachten, *tr.*, to butcher.
ab'schließen (schloß –, -geschlossen), *tr.*, to close; *refl.* to be exclusive.
Ab'schnallen (-s), *n.*, unbuckling.
ab'sehen (sah –, -gesehen), *tr.*, to see.
Ab'sicht (–, -en), *f.*, intention, purpose, design.
abson'derlich, *adj.*, singular, odd.
ab'stammen, *intr.*, (s.), to descend, be derived, come from.
ab'stechen (stach –, -gestochen), *intr.*, to contrast (with, gegen, mit, von, zu).
ab'steigen (stieg –, -gestiegen), *intr.*, (s.), to dismount.
ab'treten (trat –, -getreten), *tr.*, to cede, make over, give up.
Ab'trünnige[r] (*declined as adj.*), apostate, deserter.
ab'weisen (wies –, -gewiesen), *tr.*, to refuse, reject; dismiss.
Ab'wesenheit, *f.*, absence.
ab'zehren, *tr. and intr.*, to waste away, emaciate.
ab'zwingen (zwang –, -gezwungen), *tr.*, to extort from.
Ach'sel (–, -n), *f.*, shoulder; die -n zucken, to shrug one's shoulders.
Acht, *f.*, attention.
acht, *num.*, eight.
ach'te (-r, -s), *num. adj.*, eighth.
acht'geben (gab –, -gegeben), to pay attention (to, auf).
Ach'tung, *f.*, esteem, regard.
A'der (–, -n), *f.*, vein.
Admiral' (-[e]s, -e), *m.*, admiral. (In the 16th century, Admiral was a title given in France to the commander of the forces on land and sea.)
Ahn (-en, -en), *m.*, ancestor; grandfather.
ah'nen, *tr.*, to have a presentiment; anticipate.
ähn'lich, *adj.*, similar.
Ähn'lichkeit (–, -en), *f.*, resemblance, likeness.
Aix (*pronounce* eks). Die Bäder von Aix, Aix-les-Bains (an attractive and fashionable bathing-resort in Savoy, France).
Ak'tenstück (-[e]s, -e), *n.*, official document.
Al'ba, *see page* 18, *line* 17.
al'bern, *adj.*, silly, foolish.
al'ler, al'le, al'les, *adj.*, all; alles, everything.
allein', *adj.*, alone; *adv.*, alone, only. *co-ord. conj.*, but.
allerchrist'lichst, *adj.*, most Christian; *see page* 29, *line* 16.

al'lerdings, *adv.*, it is true, of course.
alljähr'lich, *adv.*, yearly, annually.
allmäch'tig, *adj.*, omnipotent, almighty.
allmäh'lig, *adv.*, by degrees, little by little.
all'wissend, *part. adj.*, omniscient all-knowing.
Al'pe (–, -n), *f.*, *usually in the pl.*, Alps.
als, *conj.*, than; as, like; when; – ob, as if; – daß man zuerst an mich gedacht hätte, for them to have thought of me first.
al'so, *adv.*, thus, so; *conj.*, then, consequently.
alt, *adj.*, old; so manches Alte, so much that is old.
Al'te[r] (*declined as adj.*), old man.
Al'ter (-s), *n.*, age.
Al'tersgenosse (-n, -n), *m.*, contemporary.
al'tertümlich, *adj.*, old-fashioned.
alt'modisch, *adj.*, old-fashioned.
am = an dem.
Am'boß (...sses, ...sse), *m.*, anvil.
Amt (-[e]s, "er), *n.*, office.
Amts'siegel (-s, –), *n.*, seal of office.
Amulett' (-[e]s, -e), *n.*, amulet, charm worn about the person to ward off evil *or* harm.
an, *prep.* (*with dat. or acc.*), on, by, near, against, to, at; – sich, in itself; *adv.*, von nun –, from now on.
an'beraumen, *tr.*, to appoint.
an'binden (band –, -gebunden), *tr.*, to tie.
An'blick (-[e]s, -e), *m.*, sight.
An'dacht (–, -en), *f.*, devotion.
an'dächtig, *adj.*, devout, attentive.
an'der, *adj.*, other.
än'dern, *tr.*, to alter, change.
an'ders, *adv.*, otherwise, else.
an'deuten, *tr.*, to signify, indicate; hint, intimate.
an'fahren (fuhr –, -gefahren), *tr.*, to speak roughly to.
An'fang (-[e]s, "e), *m.*, beginning.
an'fangen (fing –, -gefangen), *tr. and intr.*, to commence, begin.
an'fänglich, *adv.*, at first.
an'fechten (focht –, -gefochten), *tr.*, to trouble.
an'feuern, *tr.*, to fire, animate.
An'flug (-[e]s, "e), *m.*, flush, touch.
An'frage (–, -n), *f.*, inquiry.
an'fühlen, *tr.*, to feel; fühlte mir an, perceived (in me).
an'geboren, *part. adj.*, innate, inborn.
An'gelegenheit (–, -en), *f.*, affair, matter.
an'genehm, *adj.*, agreeable, pleasant.
An'gesicht (-[e]s, -er), *n.*, face, countenance.
an'greifen (griff –, -gegriffen), *tr.*, to attack.
An'griff (-[e]s, -e), *m.*, attack, assault.
Angst (–, "e), *f.*, anxiety, fright, fear.
äng'stigen, *tr.*, to alarm.
ängst'lich, *adj.*, anxious, uneasy.
an'haben (hatte –, -gehabt), *tr.*, einem etwas – können, to be able to hurt one (to have a hold on one).
an'hängen, *tr.*, to append.

an'heben (hob *or* hub –, -gehoben), *tr. and intr.*, to begin, commence.
an'hören, *tr.*, to listen to, hear, attend.
Anjou, *see page* 48, *line* 31.
an'klammern, *refl.*, to cling to.
an'kleiden, *tr.*, to dress.
an'klopfen, *intr.*, to knock.
An'kömmling (-[e]s, -e), *m.*, newcomer, stranger.
An'kunft, *f.*, arrival.
An'lauf (-[e]s, ̈e), *m.*, onset, rush.
an'legen, *tr.*, to put on.
An'liegen (-s), *n.*, concern, request.
an'muten, *tr.*, to charm.
an'nehmen (nahm –, -genommen), *tr.*, to accept, assume; angenommen, assuming; sich – (*with gen.*), to take interest in.
an'reden, *tr.*, to address.
an'rühren, *tr.*, to touch.
ans = an das.
An'schlag (-[e]s, ̈e), *m.*, plot; attempt.
an'sehen (sah –, -gesehen), *tr.*, to look at (upon), consider.
an'sichtig, *adj.*, – werden, to get a sight of, perceive.
An'spruch (-[e]s, ̈e), *m.*, claim; in – nehmen, to engross.
An'stand (-[e]s, ̈e), *m.*, decorum, propriety.
an'starren, *tr.*, to stare at.
an'steckend, *part. adj.*, contagious.
an'stehen (stand –, -gestanden), *intr.*, to suit, become.
an'stiften, *tr.*, to cause; instigate.
An'strengung (–, -en), *f.*, effort; mit aller –, with all their might.
An'teil (-[e]s, -e), *m.*, share.
Ant'litz (-es, -e), *n.*, face, countenance.
Ant'wort (–, -en), *f.*, answer, reply.
ant'worten, *tr. or intr.*, to answer.
an'vertrauen, *tr.*, to entrust to.
an'weisen (wies –, -gewiesen), *tr.*, to point out, assign; auf einander angewiesen sein, to be dependent on one another.
an'wenden (wandte –, -gewandt, *and regular*), *tr.*, to apply; make use of, employ.
an'zeigen, *tr.*, to indicate.
an'zetteln, *tr.*, to plot, contrive, brew.
an'ziehen (zog –, -gezogen), *tr.*, to put on, attract.
apokalyp'tisch, *adj.*, apocalyptic[al] *i. e.* of the book of Revelation.
Ar'beit (–, -en), *f.*, work; task; workmanship.
ar'beiten, *intr.*, to labor, work.
Ar'beitszimmer (-s, –), *n.*, study, office.
är'gerlich, *adj.*, provoking, vexatious.
är'gern, *tr.*, to make angry, vex; offend.
arg'los, *adj.*, unsuspicious, trustful.
Arg'losigkeit, *f.*, artlessness.
Argument' (-[e]s, -e), *n.*, argument.
Aristokrat' (-en, -en), *m.*, aristocrat.
aristokra'tisch, *adj.*, aristocratic.
arm, *adj.*, poor.
Arm (-[e]s, -e), *m.*, arm.
ärm'lich, *adj.*, poor, miserable.
Art (–, -en), *f.*, sort, kind.
Arzt (-es, ̈e), *m.*, physician, doctor.
asch'fahl, *adj.*, ashy-pale.
A'temzug (-[e]s, ̈e), *m.*, breath, respiration.

Atmosphä're (–, -n), *f.*, atmosphere.
auch, *adv.*, also, too, even, likewise.
auf, *prep.* (*with dat. or acc.*), on, upon, in, at, to, for, after; – einige Tage, for a few days; – mich zu, up to me; *adv.*, up; upon; *interj.*, arise! get up!
auf'biegen (bog –, -gebogen), *tr.*, to bend upwards.
auf'bieten (bot –, -geboten), *tr.*, to summon.
auf'blättern, *tr.*, to open.
auf'blicken, *intr.*, to look up.
auf'blitzen, *intr.*, to flash.
auf'brauchen, *tr.*, to consume.
auf'brausen, *intr.*, to roar; "flare up."
auf'brechen (brach –, -gebrochen), *intr.*, to depart, decamp.
auf'bringen (brachte –, -gebracht), *tr.*, to provoke, irritate.
auf'fahren (fuhr –, -gefahren), *intr.*, (s.), to spring up; fly into a passion.
auf'fallend, *part. adj.*, striking.
auf'flammen, *intr.*, (s.), to flame up, blaze.
auf'fordern, *tr.*, to challenge, summon; ask, invite, request.
auf'führen, *tr.*, to erect.
auf'gehen (ging –, -gegangen), *intr.*, (s.), to rise.
auf'geregt, *part. adj.*, excited.
auf'glimmen (glomm –, -geglommen), *intr.*, to gleam up.
auf'halten (hielt –, -gehalten), *tr.*, to stop.
auf'heben (hob *or* hub –, -gehoben), *tr.*, to raise; break up.
auf'horchen, *intr.*, to listen.
auf'hören, *intr.*, to cease, stop.
auf'jagen, *tr.*, to stir up, cause to fly.
Auf'lauf (-[e]s, ⸚e), *m.*, tumult, row.
auf'lösen, *refl.*, to dissolve.
auf'merksam, *adj.*, attentive; *adv.*, attentively.
Auf'merksamkeit (–, -en), *f.*, attention, attentiveness.
auf'nehmen (nahm –, -genommen), *tr.*, to take up.
auf'ragen, *intr.*, to rise high; tower up.
auf'recht, *adj.*, upright, erect.
auf'rührerisch, *adj.*, rebellious.
aufs = auf das.
auf'schlagen (schlug –, -geschlagen), *tr.*, to open.
auf'schreiten (schritt –, -geschritten), *intr.*, to walk *or* stride up.
Auf'schub (-[e]s), *m.*, delay.
auf'schwingen (schwang –, -geschwungen), *refl.*, to swing one's self up, mount.
Auf'sehen (-s), *n.*, attention; stir.
auf'setzen, *tr.*, to draw up.
auf'seufzen, *intr.*, to heave a sigh.
auf'springen (sprang –, -gesprungen), *intr.*, (s.), to leap up; bound.
auf'stacheln, *tr.*, to stimulate, excite.
auf'steigen (stieg –, -gestiegen), *intr.*, (s.), to rise.
auf'suchen, *tr.*, to seek, look for, hunt up.
Auf'suchen (-s), *n.*, search.
auf'tauchen, *intr.*, to arise; appear; occur.
auf'tun (tat –, -getan), *tr.*, to open.
Auf'trag (-[e]s, ⸚e), *m.*, commis-

sion; errand; charge; order; in seinem –, in his name.

auf'tragen (trug –, -getragen), *tr.*, to serve, put on the table.

Auf'tritt (-[e]s, -e), *m.*, scene.

auf'wachsen (wuchs –, -gewachsen), *intr.*, (s.), to grow up.

Auf'wartung (–, -en), *f.*, seine – machen, to wait upon.

auf'wenden (wandte –, -gewandt *or reg.*), *tr.*, to spend (upon), bestow, employ.

Auf'zeichnung (–, -en), *f.*, note; *pl.*, records.

Au'ge (-s, -n), *n.*, eye.

Au'genblick (-[e]s, -e), *m.*, moment.

Au'genbraue (–, -n), *f.*, eyebrow.

au'genfällig, *adj.*, evident.

August'himmel (-s, –), *m.*, August-sky.

aus, *prep.* (*with dat.*), out of, from; *adv.*, out.

aus'beuten, *tr.*, to turn to account.

Aus'bildung, *f.*, education.

aus'brechen (brach –, -gebrochen), *intr.*, (s.), to break out, break forth, burst forth.

aus'breiten, *tr.*, to spread, extend.

Aus'bruch (-[e]s, "e), *m.*, outbreak.

Aus'druck (-[e]s, "e), *m.*, expression; phrase.

aus'drucksvoll, *adj.*, expressive; significant.

aus'ersehen (ersah –, -ersehen), *tr.*, to choose, select.

aus'fallen (fiel –, -gefallen), *intr.*, (s.), to lunge.

Aus'gang (-[e]s, "e), *m.*, going out.

aus'gelassen, *part. adj.*, wild, gay, licentious.

aus'gemacht, *part. adj.*, decided, settled.

aus'gezeichnet, *part. adj.*, excellent.

aus'halten (hielt –, -gehalten), *tr.*, to endure, bear.

aus'helfen (half –, -geholfen), *intr.*, to help out, aid.

aus'lassen (ließ –, -gelassen), *tr.*, to let out, give vent to.

aus'legen, *tr.*, to explain, interpret.

aus'machen, *tr.*, to make up.

Aus'nahme (–, -n), *f.*, exception.

aus'reißen (riß –, -gerissen), *tr.*, to tear out, pluck out.

aus'rotten, *tr.*, to root out *or* up; exterminate.

Aus'ruf (-[e]s, -e), *m.*, exclamation.

aus'rufen (rief –, -gerufen), *intr.*, to cry out, call out; *tr.*, proclaim.

Aus'rüstung (–, -en), *f.*, armament; equipment.

aus'schauen, *intr.*, to look out.

aus'sehen (sah –, -gesehen), *intr.*, to look.

Aus'sehen (-s), *n.*, appearance.

au'ßen, *adv.*, on the outside, without.

au'ßer, *prep.* (*with dat.*), out of; except, besides; – mir, beside myself, furious.

Äu'ßerung (–, -en), *f.*, expression, utterance.

aus'setzen, *tr.*, to expose.

Aus'sicht (–, -en), *f.*, prospect.

aus'sprechen (sprach –, -gesprochen), *tr.*, to pronounce, utter.

aus'stehen (stand –, -gestanden), *tr.*, to endure, undergo.

aus'sterben (starb –, -gestorben), *intr.*, (s.), to die; ausgestorben, dead.

aus'stoßen (stieß –, -gestoßen), *tr.*, to utter, ejaculate, cry out.
aus'strecken, *tr.*, to stretch.
aus'wandern, *intr.*, (s.), to emigrate.
aus'wärtig, *adj.*, foreign.
Aus'weg (-[e]s, -e), *m.*, way out.
aus'wendig, *adv.*, by heart.
aus'zeichnen, *tr.*, to mark, distinguish; *refl.*, render one's self conspicuous.
Autoritäts'glaube (-ns), *m.*, belief in authorities.
A've Mari'a, *n. inv.*, (*Latin*), Hail Mary, a short prayer in the Roman Catholic church.

B

Babylo'nierin, *f.*, Babylonian. *see page* 19, *line* 1.
Bad (-es, ⁻er), *n.*, bath.
bah'nen, *tr.*, to make *or* cut (a way).
bald, *adv.*, soon, shortly; – . . . –, sometimes . . . sometimes, now . . . again, now . . . now; – lang=gezogene, – heftig ausgestoßene Töne, tones now long drawn out, now violently ejaculated.
Balkon (*pronounced as in French, or sometimes*, Balkōn') (-s, *pl.* -s *or* -e), *m.*, balcony.
bal'len, *tr.*, die Faust –, to clench one's fist.
Ball'spiel (-[e]s, -e), *n.*, tennis.
Band (-[e]s, -e), *n.*, tie, bond.
Bang'igkeit (–, -en), *f.*, anxiety.
Bank (–, ⁻e), *f.*, bench.
ban'nen, *tr.*, to charm, bewitch.
bar, *adj.*, in cash, ready money.
bar'fuß, *adj. and adv.*, barefoot.
barmher'zig, *adj.*, merciful.
barsch, *adv.*, harshly; rudely; abruptly.
Bar'schaft (–, -en), *f.*, cash, ready money.
Bart (-[e]s, ⁻e), *m.*, beard.
Bar'thel, *see page* 73, *line* 10.
Bartholomä'ustag, *see page* 73, *line* 8, *and Introduction.*
Bastil'le, *see page* 80, *line* 17.
Bau (-es, -e), *m.*, building; edifice.
Bau'er (-s, -n), *m.*, peasant, farmer.
Bau'erjunge (-n, -n), *m.*, peasant-boy.
Baum (-[e]s, ⁻e), *m.*, tree.
Beäng'stigung (–, -en), *f.*, anxiety, uneasiness.
beant'worten, *tr.*, to answer, reply to.
beauf'tragen, *tr.*, to commission, charge.
be'ben, *intr.*, to tremble.
Bech'er (-s, –), *m.*, cup, goblet.
bedacht', *part. adj.* (bedenken), intent (upon, auf), thoughtful (of, auf).
bede'cken, *tr.*, to cover.
beden'ken (bedachte, bedacht), *tr.*, to consider, reflect upon.
Beden'ken (-s, –), *n.*, (consideration) hesitation.
bedeu'ten, *tr.*, to signify, mean; indicate.
Bedie'nung (–, -en), *f.*, service.
bedür'fen (bedurfte, bedurft), *tr.*, *or intr. with gen.*, to need, want; be in want of, stand in need of, be in need of.
beeh'ren, *tr.*, to honor.
been'digen, *tr.*, to finish, close.
befal'len (befiel, befallen), *tr.*, to befall; attack; seize.

Befehl′ (-[e]s, -e), *m.*, command, order.

befeh′len (befahl, befohlen), *tr.*, to command, order, commit.

befin′den (befand, befunden), *refl.*, to be.

befrei′en, *tr.*, to free, deliver, liberate.

Befrei′ung (–, -en), *f.*, deliverance, liberation, release.

Befrem′dung (–, -en), *f.*, surprise, astonishment.

befreun′det, *part. adj.*, ich bin ihm –, I am on friendly terms with him, *or* I am attached to him.

Befrie′digung (–, -en), *f.*, satisfaction.

befrie′digt, *adj. and adv.* (befriedigen), contented[ly].

befürch′ten, *tr.*, to fear, apprehend.

bege′ben (begab, begeben), *refl.*, to go.

begeg′nen, *intr.* (*with dat.*), (ſ.), to meet (with); treat.

Begeg′nung (–, -en), *f.*, meeting; behavior (towards a person).

begeh′en (beging, begangen), *tr.*, to commit.

begin′nen (begann, begonnen), *tr. and intr.*, to begin; undertake.

beglän′zen, *tr.*, to illuminate.

Begleit′ (-[e]s), *n.*, (*Swiss*), = Begleitung, company, attendants; escort.

beglei′ten, *tr.*, to accompany.

begnü′gen, *refl.*, to be satisfied with.

begrei′fen (begriff, begriffen), *tr.*, to understand, comprehend.

Begriff′ (-[e]s, -e), *m.*, idea, notion; im –, on the point of, about to,

begrün′den, *tr.*, to found; confirm, prove.

begrü′ßen, *tr.*, to greet, salute.

begü′tert, *part. adj.*, landed, having landed property.

begü′tigen, *tr.*, to appease, pacify, calm.

behag′lich, *adj.*, comfortable, pleasant, snug; *adv.*, comfortably.

behal′ten (behielt, behalten), *tr.*, to keep, retain.

behan′deln, *tr.*, to handle; treat; discourse on.

behäng′en, *tr.*, to hang with.

beharr′lich, *adj.*, constant, steady, persevering; *adv.*, steadily, steadfastly.

behaup′ten, *tr.*, to assert, maintain.

Behaup′tung (–, -en), *f.*, assertion, affirmation.

Behen′digkeit, *f.*, quickness, dexterity.

beher′bergen, *tr.*, to lodge, take in; receive.

behilf′lich, *adj.*, helpful, serviceable.

behü′ten, *tr.*, to preserve.

bei, *prep.* (*with dat.*), at, by; with to, in, upon, on; – mir, at my house; – dem Admiral, at the Admiral's (house).

bei′de, *adj.*, both; die -n, both the, the two.

bei′fügen, *tr.*, to add.

beim = bei dem.

Bei′ſpiel (-[e]s, -e), *n.*, example.

bei′ßen (biß, gebiſſen), *tr.*, to bite.

bei′wohnen, *intr.* (*with dat.*), to be present at, attend.

beja′hen, *tr.*, to affirm.

beja'hend, *adv.*, in affirmation.
bekäm'pfen, *tr.*, to combat.
bekannt', *adj.*, known, well-known; acquainted.
Bekann'te[r], (*declined as adj.*), *m.*, acquaintance.
beken'nen, *tr.*, to confess; bekannte sich zu böhmischer Abkunft, confessed to be of Bohemian descent.
bekräf'tigen, *tr.*, to legalize.
beküm'mern, *refl.*, to concern one's self with, care for.
bekun'den, *tr.*, to show, prove.
bela'chen, *tr.*, to laugh at.
bela'gern, *tr.*, to besiege.
belas'ten, *tr.*, to burden.
beläs'tigen, *tr.*, to annoy, trouble.
belau'schen, *tr.*, to overhear.
beleh'ren, *tr.*, to inform, instruct.
belei'digen, *tr.*, to offend, insult.
Belei'digung (–, -en), *f.*, offence.
beleuch'ten, *tr.*, to illumine, illuminate.
belie'ben, *tr.*, to be pleased.
belus'tigen, *tr.*, to amuse, divert.
bemäch'tigen, *refl.* (*with gen.*), to take possession of, seize.
bemer'ken, *tr.*, to observe; perceive.
bemü'hen, *refl.*, to strive to obtain (um).
benach'bart, *part. adj.*, neighboring.
Beneh'men (-s), *n.*, behavior, conduct.
benö'tigen, *tr.*, (*with gen. or acc.*), benötigt sein, to be in want of.
benüt'zen, *tr.*, to make use of, take advantage of.
beo'bachten, *tr.*, to observe.
Bequem'lichkeit (–, -en), *f.*, convenience; comfort; indolence, love of ease.
bera'ten (beriet, beraten), *tr.*, to advise; deliberate.
berei'chern, *tr.*, to enrich.
bereit', *adj.*, ready.
berei'ten, *tr.*, to prepare.
Bereit'willigkeit, *f.*, willingness.
bereu'en, *tr.*, to repent, regret.
Berg (-[e]s, -e), *m.*, mountain, hill; das Haar stand mir zu -e, my hair stood on end.
ber'gen (barg, geborgen), *tr.*, to hide, conceal.
Bericht' (-[e]s, -e), *m.*, report.
berich'ten, *tr.*, to inform, report.
Bern (-s), *n.*, Bern.
Ber'ner (-s, –), *m.*, inhabitant of Bern, Bernese.
Ber'nerboden (-s), *m.*, Bernese soil.
Ber'nerin (–, -nen), *f.*, Bernese.
berüch'tigt, *part. adj.*, notorious, infamous.
beru'fen (-rief, -rufen), *tr.*, to call, summon.
beru'higen, *tr.*, to quiet, reassure; *refl.*, calm one's self, compose one's self; be appeased.
berühmt', *part. adj.*, famous, renowned, noted.
berüh'ren, *tr.*, to touch; mention.
Berüh'rung (–, -en), *f.*, touch.
beschäf'tigen, *tr.*, to employ.
beschäf'tigt, *part. adj.*, occupied, busy.
Beschä'mung (–, -en), *f.*, shame, confusion.
beschei'den (beschied, beschieden), *tr.*, zu sich –, to send for.

beschei'den, *adj.*, modest, unassuming.
Besche'rung (–, -en), *f.*, bestowal, present; da haben wir die –! a pretty mess! now we are in for it!
beschim'pfen, *tr.*, to insult, disgrace, injure, affront.
beschleu'nigen, *tr.*, to hasten, accelerate.
beschlie'ßen (beschloß, beschlossen), *tr.*, to resolve (upon), determine.
beschrei'ben (beschrieb, beschrieben), *tr.*, to describe.
Beschrei'bung (–, -en), *f.*, description.
beschütz'en, *tr.*, to protect.
Beschütz'er (-s, –), *m.*, protector.
beschwe'ren, *tr.*, to burden; trouble.
beschwich'tigen, *tr.*, to soothe, calm, allay, still.
beschwö'ren (beschwor, beschworen), *tr.*, to conjure, implore.
besee'len, *tr.*, to animate.
besich'tigen, *tr.*, to view, inspect.
besie'geln, *tr.*, to seal.
besie'gen, *tr.*, to vanquish, conquer.
besin'nen (besann, besonnen), *refl.*, to recollect, call to mind, consider, reflect.
Besin'nen (-s), *n.*, reflection.
besit'zen (besaß, besessen), *tr.*, to possess, own.
Besitz'tum (-[e]s, ⸚er), *n.*, property.
beson'der, *adj.*, peculiar, particular, special.
beson'ders, *adv.*, particularly, specially.
Besorg'nis (–, ...sse), *f.*, care.
besorgt', *adj.*, apprehensive, anxious, uneasy.
bespre'chen (besprach, besprochen), *refl.*, to converse, confer.
bes'ser, *adj. and adv.*, better; die Bessern, the better ones, those who are better.
bestan'den, *part. adj.* (bestehen), covered with, stocked with (trees).
bestär'ken, *tr.*, to strengthen, confirm.
bestä'tigen, *tr.*, to confirm.
bes't[e], *adj.*, best.
beste'hen (bestand, bestanden), *intr.*, to exist; consist of (aus); *tr.*, stand (the test); *see* bestanden.
bestim'men, *tr.*, to determine, destine for.
bestimmt', *part. adj.*, destined to, bound for, doomed; *adv.*, positively.
bestra'fen, *tr.*, to punish; *refl.*, to be punished, bring about its own punishment.
bestreu'en, *tr.*, to strew.
bestür'men, *tr.*, to storm, assail; importune.
bestürzt', *part. adj.*, perplexed, dismayed.
Besuch' (-[e]s, -e), *m.*, visit; company, visitors.
besu'chen, *tr.*, to call upon, visit.
betrach'ten, *tr.*, to look at, observe; regard.
Betrach'tung (–, -en), *f.*, viewing; examination; contemplation.
betref'fen (betraf, betroffen), *tr.*, to concern; was ... betrifft, as far as . . . is concerned, as to . . .

betre'ten (betrat, betreten), *tr.*, to step upon; enter.

betrü'ben, *tr.*, to distress; *refl.*, grieve.

betrü'gen (betrog, betrogen), *tr.*, to deceive; *refl.*, be mistaken.

betrun'ken, *part. adj.*, drunken.

Bett (-[e]s, -en), *n.*, bed.

bet'ten, *tr.*, to bed, put to bed; lay.

Bet'tler (-s, –), *m.*, beggar.

beu'gen, *refl.*, to bend.

beun'ruhigen, *tr.*, to disquiet, trouble; harass; -dere Zweifel, more disquieting doubts.

beur'lauben, *tr.*, to grant *or* give leave of absence; *refl.*, take leave (of, bei).

beur'teilen, *tr.*, to judge (of).

Beu'te, *f.*, booty, spoil; prey.

bevöl'kern, *tr.*, to people, populate.

Bevöl'kerung (–, -en), *f.*, population.

bevor', *conj.*, before.

bewa'chen, *tr.*, to watch over, guard.

bewaff'nen, *tr.*, to arm; mit Bewaffneten, with armed men.

Bewaff'nung (–, -en), *f.*, armament, arms.

bewah'ren, *tr.*, to preserve, guard, keep.

bewe'gen (bewog, bewogen), *tr.*, to move, stir, agitate, induce; *refl.*, move.

bewegt', *part. adj.*, moved, excited, agitated.

Bewe'gung (–, -en), *f.*, motion, movement; emotion.

Bewun'derung, *f.*, admiration.

bewußt'los, *adj.*, unconscious.

bezah'len, *tr.*, to pay; pay for.

bezech'en, *tr.*, to make drunk, intoxicate; *perf. part.*, bezecht, drunk.

bezeich'nen, *tr.*. to mark.

bezie'hen (bezog, bezogen), *refl.*, to relate to, refer to (auf).

Bezie'hung (–, -en), *f.*, relation, connection.

Bi'belerklärung (–, -en), *f.*, interpretation of the Bible *or* Scriptures.

bi'belkundig, *adj.*, well versed in the Bible.

Bibliothek'zimmer (-s, –), *n.*, library.

bie'gen (bog, gebogen), *intr.*, to turn, bend.

Biel (-s), *n.*, Biel, Bienne, a city in Switzerland on the lake of the same name.

Bieler (-s, –), *m.*, inhabitant of Bienne.

Bielersee, *see page* 13, *line* 2.

bie'ten (bot, geboten), *tr.*, to offer.

Bild (-[e]s, -er), *n.*, image.

bil'den, *tr.*, to form.

Bild'nis (...sses, ...sse), *n.*, image.

Bil'dung, *f.*, culture; education.

bil'lig, *adj.*, just, fair, reasonable.

Bin'de (–, -n), *f.*, bandage.

bis, *prep.* (*with acc.*), to, up to, as far as, till; *conj.*, till, until.

bisher', *adv.*, hitherto, till now.

Bit'te (–, -n), *f.*, request.

bit'ten (bat, gebeten), *tr.*, to ask, request.

bit'ter, *adj.*, bitter; *adv.*, bitterly.

bla'sen (blies, geblasen), *intr.*, to blow.

blaß, *adj.*, pale, wan.

Blatt (-[e]s, "er), *n.*, leaf.
blät'tern, *intr.*, to turn over the leaves.
blau, *adj.*, blue.
blei'ben (blieb, geblieben), *intr.*, (ſ.), to remain, stay; rest; continue; – bei, adhere, stick to.
Blei'ben (-s), *n.*, remaining, staying; hier iſt unſres –s nicht! there is no staying here for us! *see page* 22, *line* 28.
bleich, *adj.*, pale; die Bleiche, the pale girl.
blen'den, *tr.*, to blind; dazzle.
Blend'werk (-[e]s, -e), *n.*, delusion, illusion.
Blick (-[e]s, -e), *m.*, glance; look; view.
bli'cken, *tr. and intr.*, to glance, look; ſich – laſſen, to show one's face.
blind, *adj.*, blind.
Blitz (-es, -e), *m.*, lightning, flash of lightning.
blit'zen, *intr.*, to flash; lighten; sparkle.
blitz'ſchnell, *adj.*, swift as lightning.
Blitz'ſtrahl (-[e]s, -en), *m.*, flash of lightning.
blond, *adj.*, fair, blonde.
blü'hen, *intr.*, to bloom.
Blut (-[e]s), *n.*, blood.
Blut'bad (-[e]s, "er), *n.*, massacre, slaughter.
blut'befleckt, *part. adj.*, blood-stained.
blut'dürſtig, *adj.*, bloodthirsty, fierce.
blu'ten, *intr.*, to bleed.
Blut'geruch (-[e]s, "e), *m.*, smell of blood.
blut'getränkt, *part. adj.*, drenched with blood.
Blut'hund (-[e]s, -e), *m.*, blood-hound.
blu'tig, *adj.*, bloody, sanguinary; blood-red.
Blut'lache (–, -n), *f.*, pool of blood.
Blut'ſchuld, *f.*, blood-guiltiness.
Bluts'verwandte(r), *m. and f.*, (*declined as adj.*), relative.
blut'verwandt, *part. adj.*, (blood-) related.
Boccard, *m.*, Boccard, a surname.
Bo'den (-s, "), *m.*, floor.
Böh'me (-n, -n), *m.*, Bohemian.
böh'miſch, *adj.*, Bohemian.
bö'ſe, *adj.*, bad; evil; wicked; Böſes, *n.*, evil.
Bö'ſewicht (-[e]s, -e[r]), *m.*, villain.
Bo'te (-n, -n), *m.*, messenger.
brau'chen, *tr.*, to need.
Brau'e (–, -n), *f.*, eyebrow.
Braut'fahrt (–, -en), *f.*, bridal journey.
brav (*pronounced* braf *in the uninflected form*), *adj.*, honest; good; brave, courageous.
bre'chen (brach, gebrochen), *tr.*, to break.
breit, *adj.*, broad; wide, large; ſich ſo – machen, to make so free, to take up so much room, to make one's self so much at home.
Brei'te (–, -n), *f.*, breadth.
breit'krempig, *adj.*, broad-brimmed.
bren'nen (brannte, gebrannt), *intr.*, to burn, be on fire.
Brief (-[e]s, -e), *m.*, letter.
Brief'taſche (–, -n), *f.*, pocket-book; note-book.

Brief'wechsel (-s, –), *m.*, correspondence.
bring'en (brachte, gebracht), *tr.*, to bring; über sich –, to bring one's self to, find it in one's heart to.
Brot (-[e]s, -e), *n.*, bread.
Brot'männchen (-s, –), *n.*. manikin of bread.
Bruch'stück (-[e]s, -e), *n.*, fragment.
Brü'cke (–, -n), *f.*, bridge.
Bruder (-s, ¨), *m.*, brother.
brül'len, *intr.*, to roar.
Brust (–, ¨e), *f.*, breast, chest.
Brust'tasche (–, -n), *f.*, breast-pocket.
brü'ten, *tr.*, to brood; *intr.*, rest *or* hang over (über).
Bu'be (-n, -n), *m.*, rascal.
Buch (-[e]s, ¨er), *n.*, book.
Bu'che (–, -n), *f.*, beech.
Bu'chenhecke (–, -n), *f.*, beech-hedge.
Büch'senschuß (...sses, ...¨sse), *m.*, gun-shot.
buchstabie'ren, *tr.*, to spell.
bür'gen, *intr.*, to answer for (für).
Bür'ger (-s, –), *m.*, citizen, townsman.
Bü'rgerkrieg (-[e]s, -e), *m.*, civil war.
Burgund', *see page* 26, *line* 6.

C

Calvi'n, *see page* 17, *note.*
calvi'nisch = calvinistisch.
Calvini'smus, *m.*, Calvinism.
Calvinist', *see page* 17, *line* 5.
calvini'stisch, *adj.*, Calvinistic.
Catta'ni, *m.*, probably a surname.
Cha'os, *n.*, (*Greek*), chaos.
Champagne, *f.*, Champagne.
Charak'tergröße, *f.*, greatness of character.
Chateauguyon, *m.*, a French surname, probably fictitious.
Chatillon, *m.*, the family-name of the Coligny's.
Chaumont (*French*, bald mountain), Chaumont. (There is a mountain of the same name at the northern end of Lake Neuchâtel.)
Chor'herr (-n, -en), *m.*, canon. (Canons of a lower grade assisted in performing the daily choral service in the cathedral.)
Christ (-en, -en), *m.*, Christian.
Chris'tenverfolger (-s, –), *m.*, persecutor of Christians.
christ'lich, *adj.*, Christian.
Chris'toph (-s), *m.*, Christopher.
Coligny, *see page* 18, *line* 11.
Columbus, *m.*, Columbus.
Compagnie' (*pronounce* Kompanie'), (*French*), (–, -[e]n), *f.*, company.
Cortaillod, *see page* 24, *line* 30.
Courtion, *see page* 13, *line* 2.

D

da, *adv.*, there; then, in that case; *conj.*, when, while, as, since.
dabei', *adv.*, thereby, near (it); at the same time; – sein, to be present; es bleibt –, the matter rests there.
Dach (-[e]s, ¨er), *n.*, roof.
dadurch', *adv.*, thereby; by this means.

dafür', *adv.*, for that, for it; *see* können.

dage'gen, *adv.*, against that *or* it; on the other hand; in comparison with that.

daheim', *adv.*, at home.

da'mals, *adv.*, then, at that time.

Da'me (–, -n), *f.*, lady; die – von Einſiedeln, our Lady of Einsiedeln, *see page* 14, *line* 19.

Da'menfänger (-s, –), *m.*, libertine; *compare* "lady-killer."

Da'menſattel (-s, ¨), *m.*, side-saddle.

damit', *adv.*, with that, by that; *conj.*, in order that.

Däm'merung (–, -en), *f.*, twilight.

dam'pfen, *intr.*, to smoke, steam, fume.

däm'pfen, *tr.*, to muffle, lower.

Dandelot, *see page* 23, *line* 20.

dane'ben, *adv.*, near it; besides.

Dank (-[e]s), *m.*, thanks.

dank'bar, *adj.*, thankful, grateful.

dan'ken, *intr.*, to thank; *tr.*, einem etwas –, to be indebted to one for a thing.

dann, *adv.*, then.

dan'nen, *adv.*, thence; von –, thence, away.

daran', *adv.*, thereat; of it, about it, on it, to it.

darauf', *adv.*, thereupon, thereon, on it, to it.

daraus', *adv.*, therefrom, from that, out of that, out of it; thence.

darein', *adv.*, therein, into it.

Dar'ſtellung (–, -en), *f.*, exposition, description.

darü'ber, *adv.*, over that, over it.

darun'ter, *adv.*, thereunder.

daß, *conj.*, that, in order that, to.

Da'ſein (-s), *n.*, existence.

dau'ern, *intr.*, to last.

davon', *adv.*, thereof, of it.

davor', *adv.*, (before it), of it.

dazu', *adv.*, thereto, in addition to that; for that, for that purpose.

dec'ken, *tr.*, to cover; serve.

De'gen (-s, –), *m.*, sword.

deh'nen, *refl.*, to stretch, extend.

dein, *poss. adj. and poss. pron.*, thy, your.

dei'nige, *poss. pron.*, thine, yours.

demna'ch, *adv. and conj.*, therefore, consequently.

Demokrat' (-en, -en), *m.*, democrat.

denk'bar, *adj.*, conceivable, imaginable.

den'ken (dachte, gedacht), *intr.*, to think (of, an).

Denk'kraft, *f.*, intellectual power.

denn, *conj. and adv.*, for, then.

den'noch, *conj.*, nevertheless.

Depe'ſche (–, -n), *f.*, dispatch.

der, die, das, *art.*, the; *pron.*, he, *etc.*; that, who, which; das bin ich auch, I am so too.

der'artig, *adj.*, of this kind, similar.

derb, *adj.*, strong; rough, coarse.

derſel'be, dieſel'be, daſſel'be, *pron.*, the same; he, she, it. *pl.*, they.

des'halb, *adv. and conj.*, therefore.

deſ'to, *adv.*, the.

deuch'ten (deuchte, gedeucht), *intr.*, mir (*or* mich) deuchte, it seemed to me.

deu'ten, *tr.*, to interpret, explain.

deutſch, *adj.*, German.

Deutſch, *n.*, German.

Devi'se (*pronounce* ... wi ...) (–, -n), *f.*, motto; device; impress.
dicht, *adj.*, dense, solid, close, thick; *adv.*, densely; – an, close by, near by.
dick, *adj.*, thick, large.
die'nen, *intr.*, to serve.
Die'ner (-s, –), *m.*; **Dienerin** (–, -nen), *f.*, servant.
Die'nerschaft (–, -en), *f.*, servants.
Dienst (-[e]s, -e), *m.*, service; employment.
dies, *abbreviation of* dieses.
die'ser, die'se, die'ses, *demonstr. adj. or pron.*, this, that; the latter, he, *etc.*
dies'mal, *adv.*, this time, for this once.
dieweil' (*archaic for* während), *conj.*, while.
Ding (-[e]s, -e[r]), *n.*, thing, matter; creature.
doch, *adv. and conj.*, yet; however; but, nevertheless, notwithstanding; to be sure; I hope; nicht –! certainly not! *see also page* 14, *line* 1.
Don'ner (-s, –), *m.*, thunder.
don'nern, *intr.*, to thunder.
dop'pelt, *adv.*, doubly.
Dorf (-[e]s, ⸚er), *n.*, village.
dort, *adv.*, there.
dran, *adv.*, *popular contraction of* daran.
dräng'en, *tr.*, to press, crowd; urge, impel, force.
Dräng'en (-s), *n.*, urging.
drau'ßen, *adv.*, out of doors; without; da –, out there,
dre'hen, *tr. and refl.*, to turn.
drei, *num.*, three.
Drei'einigkeit, *f.*, Trinity.
drei'mal, *adv.*, three times, thrice.
dring'en (drang, gedrungen), *intr.*, – in, to urge; – an, to reach; -d, *adv.*, urgently.
drit'te, *num. adj.*, third.
dro'hen, *intr.*, to threaten.
Dromme'tenschall (-[e]s, -e), *m.*, (*poetic for* Trompetenschall), sound of (a) trumpet.
drü'ben, *adv.*, yonder; over there.
drü'cken, *tr.*, to press; oppress.
Druck'schrift (–, -en), *f.*, publication.
du, *pron.*, thou; you.
Dubourg, *see page* 63, *line* 19.
Duft (-[e]s, ⸚e), *m.*, perfume, fragrance.
duftend, *part. adj.*, fragrant, perfumed.
dul'den, *tr.*, to bear, suffer, endure, tolerate.
Dul'dung, *f.*, tolerance, toleration.
Dumm'heit (–, -en), *f.*, piece of folly.
dumpf, *adj.*, hollow; sombre; oppressive; close, sultry, suffocating.
dumpf'ig, *adj.*, close; musty.
dun'kel, *adj.*, dark, gloomy; obscure; mysterious.
Dun'kel (-s), *n.*, darkness; obscurity.
dun'kelblau, *adj.*, dark blue, deep blue.
dün'ken, *impers.* (*with dat. or acc.*), to seem, appear; mir dünkt, I fancy.
durch, *prep.* (*with acc.*), through, by.
durchaus', *adv.*, quite, absolutely; – keine ..., by no means a ...
durchblät'tern, *tr.*, to turn over

the leaves (of a book); glance through; skim.

durchboh'ren, *tr.*, to pierce.

durch'dringend, *pres. part. used adv.*, penetratingly; searchingly.

durcheinan'derwerfen, (warf –, -geworfen), *tr.*, to mix up.

durch'fechten (focht –, -gefochten), *tr.*, to fight out.

durch'führen, *tr.*, to execute, accomplish.

durchglü'hen, *tr.*, to inflame.

durch'greifend, *part. adj.*, decisive.

durchlöch'ern, *tr.*, to perforate.

durch'machen, *tr.*, to go through.

durchmes'sen (-maß, -messen), *tr.*, to traverse.

durchrei'ten (-ritt, -ritten), *tr.*, to ride through.

durchrie'seln, *tr.*, to creep over; go through.

durchs = durch das.

durchschrei'ten (-schritt, -schritten), *tr.*, to go *or* walk through.

Durch'sicht, *f.*, revision, inspection.

durchstech'en (-stach, -stochen), *tr.*, to thrust through; traverse.

durch'winden (wand –, -gewunden), *refl.*, to get through; struggle through, thread one's way through.

durchzieh'en (-zog, -zogen), *tr.*, to pass through.

dür'fen (durfte, gedurft), *intr.*, to dare; be allowed *or* permitted; need; ich darf, I may *or* must; ich dürfte, I might.

düs'ter, *adv.*, gloomily.

E

e'ben, *adj.*, even, level; zu -er Erde, on the ground-floor; *adv.*, just, precisely; -so, just so, equally.

e'benfalls, *adv.*, likewise, too.

E'cke (–, -n), *f.*, corner.

e'he, *conj.*, before.

e'hemalig, *adj.*, former.

e'her, *adv.*, rather.

Eh're (–, -n), *f.*, honor; – machen, to do credit to.

eh'ren, *tr.*, to honor.

Eh'rentanz (-es, ⁼e), *m.*, dance of honor.

eh'renvoll, *adj.*, honorable.

eh'renwert, *adj.*, respectable.

Eh'renwort (-[e]s), *n.*, word of honor.

ehr'furchtsvoll, *adj.*, respectful.

ehr'geizig, *adj.*, ambitious.

ehr'lich, *adj.*, honest, fair.

ehr'würdig, *adj.*, venerable.

ei! *interj.*, ah! why; ei, was! pshaw! nonsense!

Eich'e (–, -n), *f.*, oak.

Ei'chenholz (-[e]s), *n.*, oak wood.

Ei'chentisch (-[e]s, -e), *m.*, oak table.

Ei'chenschrank (-[e]s, ⁼e), *m.*, oak case.

Eid'genosse (-n, -n), *m.*, confederate.

Ei'fer (-s), *m.*, zeal, ardor.

Ei'fersucht, *f.*, jealousy.

eif'rig, *adj.*, zealous; ardent.

ei'gen, *adj.*, own; peculiar.

ei'genhändig, *adv.*, with one's own hand, *or* into one's own hands.

ei'gentlich, *adv.*, properly; really.

ei'gentümlich, *adj.*, peculiar.

Ei′le, *f.*, haste, speed, hurry.
ei′len, *intr.*, to hasten; require haste.
ei′lig, *adv.*, hastily, hurriedly.
ein, ein′e, ein, *indef. art.*, a, an; *num.*, ei′ner, ei′ne, ei′nes, one; *indef. pron.*, one; eins, one; the same, of one mind.
einan′der, *indecl. pron.*, one another, each other.
Ein′bildungskraft, *f.*, (imaginative faculty), imagination.
ein′brechen (brach –, -gebrochen), *intr.*, (ſ.), to set in, draw on, come on.
Ein′druck (-[e]s, ¨e), *m.*, impression; den – des Schwankenden, Ungleichartigen, the impression of vacillation, of dissimilarity.
ein′fach, *adj.*, simple; artless, ingenuous.
Ein′fall (-[e]s, ¨e), *m.*, irruption, invasion; sally.
ein′fallen (fiel –, -gefallen), *intr.*, (ſ.), to invade; interpose, interrupt.
Ein′fluß (...ſſes, ...¨ſſe), *m.*, influence.
ein′führen, *tr.*, to lead into; introduce.
ein′gehen, (ging –, -gegangen), *intr.*, (ſ.), to enter; – auf, to enter upon, yield to, accept.
Ein′geweide (-s, –), *n.*, intestines.
ein′gezogen, *part. adj.*, (einziehen), retired; quiet.
ei′nig, *adj.*, united; agreeing; in accord; mit ſich – werden, to decide.
ei′nige[r], ei′niges, *indef. pron.*, some; *adj.*, some; *pl.*, some, several.
ein′laden (lud –, -geladen), *tr.*, to invite, bid.
Ein′ladung (–, -en), *f.*, invitation.
ein′laſſen (ließ –, -gelaſſen), *tr.*, to let in; admit.
ein′legen, *tr.*, to put in; ein Fürwort für einen –, to intercede for one.
ein′mal, *adv.*, once; auf –, all at once; noch –, once more; – iſt keinmal, once does not make a habit.
einmal′, *adv.*, once; just; even; nicht –, not even; ſeht –! just look! das ſich nun – nicht überſchreiten ließ, which just could not be surpassed.
ein′nehmen (nahm –, -genommen), *tr.*, to take; occupy.
ein′prägen, *tr.*, to imprint, impress.
ein′reihen, *tr.*, to enroll.
ein′reiten (ritt –, -geritten), *intr.*, (ſ.), to ride in, enter on horseback.
ein′richten, *tr.*, to arrange, set.
Ein′richtung (–, -en), *f.*, appointments, furniture.
ein′ſam, *adj.*, alone.
Ein′ſamkeit, *f.*, solitude.
Ein′ſatz (-es, ¨e), *m.*, stake.
Ein′ſchlafen (-s), *n.*, falling asleep.
ein′ſchlagen (ſchlug –, -geſchlagen), *tr.*, to take, einen Weg –, to take a road.
ein′ſchneidend, *part. adj.*, incisive; decisive.
ein′ſchüchtern, *tr.*, to intimidate.
ein′ſetzen, *tr.*, to stake.
Ein′ſiedeln, *see page* 14, *line* 19.
einſt, *adv.*, once.

ein′stellen, *refl.*, to appear.
ein′stig, *adj.*, future.
ein′tragen (trug –, -getragen), *tr.*, to register, enter.
ein′treten (tritt –, -eingetreten), *tr.*, (s.) to enter.
Ein′tritt (-[e]s), *m.*, entrance.
ein′verstanden, *part. adj.*, agreed; sich – erklären (mit), to agree to.
ein′werfen (warf –, -eingeworfen), *tr.*, to object; reply.
ein′willigen, *tr.*, to consent, assent.
ein′zeln, *adj.*, single; individual; isolated.
ein′zig, *adj.*, only; single; sole; – in ihrer Art, unique, without her like *or* equal.
Ei′sengitter (-s), *n.*, iron lattice.
Ei′senstab (-[e]s, ″e), *m.*, iron bar.
ei′sern, *adj.*, of iron.
eis′grau, *adj.*, gray (like ice).
ei′tel, *adj.*, empty, idle, *adv.*, nothing but, merely.
Eleganz′, *f.*, elegance.
elek′trisch, *adj.*, electrical.
Element′ (-[e]s, -e), *n.*, element.
E′lend, (-[e]s), *n.*, misery.
e′lend, *adj.*, wretched; dieser Elende, this wretch.
Ell′bogen (-s, –), *m.*, elbow.
empfang′en (empfing, empfangen), *tr.*, to receive.
empfeh′len (empfahl, empfohlen), *tr.*, to recommend.
Empfeh′lung (–, -en), *f.*, recommendation.
empfin′den (empfand, empfunden), *tr.*, to feel, be sensible (of).
empö′ren, *tr.*, to stir up; move, affect; shock, revolt.
empor′halten (hielt –, -gehalten), *tr.*, to hold up.
En′de (-s, -n), *n.*, end; death; am –, after all; zu – sein, to be at an end; zu – gehen, to draw to an end.
en′den, *intr.*, to end, terminate.
end′lich, *adv.*, at last, finally.
eng′[e], *adj.*, narrow; close; aufs engste, very closely.
Eng′land (-s), *n.*, England.
entbehr′lich, *adj.*, dispensable, unnecessary.
entdeck′en *tr.*, to discover, detect.
entfal′len (entfiel, entfallen), *intr.*, (s.), to drop.
entfer′nen, *tr.*, to remove; dismiss; *refl.*, withdraw.
entfernt′, *part. adj.*, remote, distant.
Entfer′nung (–, -en), *f.*, removal; retirement; distance.
entflam′men, *tr.*, to inflame, kindle.
entflie′hen (-floh, -flohen), *intr.*, (s.), to escape.
entfüh′ren, *tr.*, to carry off.
entge′gen, *adv.*, *and prep.* (*with dat.*), against, contrary to.
entge′gengesetzt, *part. adj.*, opposite, contrary.
entge′genkommen (kam –, -gekommen), *intr.*, (s.) to come to meet.
entge′genrufen (rief –, -gerufen), *intr.*, to call to (one).
entge′genschreiten (schritt –, -geschritten), *intr.*, (s.), to step, stride *or* walk towards.
entge′gensetzen, *tr.*, to oppose, contrast.
entge′genstürzen, *intr.*, (s.), to rush to meet.

entge'gentreten (trat –, -getreten) *intr.*, (s.), to advance towards.
entge'genziehen (zog –, -gezogen), *intr.*, (s.), to advance towards.
entgeg'nen, *tr.*, to reply, rejoin.
entgeh'en (entging, entgangen), *intr.*, (s.), to escape.
entlas'sen (entließ, entlassen), *tr.*, to dismiss.
entle'digen, *refl.* (*with gen.*), to get rid of.
entle'gen, *adj.*, remote, distant.
entrei'ßen (entriß, entrissen), *tr.*, to snatch away (from).
Entrin'nen (-s), *n.*, escape.
entrüs'tet, *part. adj.*, indignant, filled with indignation.
Entscheid' (= Entscheidung) (-[e]s, -e), *m.*, decision.
entschei'den (entschied, entschieden), *tr.*, to decide.
entschei'dend, *part. adj.*, decisive; alles Entscheidende, all that is decisive.
Entschei'dung (–, -en), *f.*, decision.
entschie'den, *part. adj.*, decided.
entschla'gen (entschlug, entschlagen), *refl.*, (*with gen.*), to get rid of.
entschlei'ern, *tr.*, to unveil.
entschlie'ßen (entschloß, entschlossen), *refl.*, to resolve.
entschlos'sen, *part. adj.*, resolute, determined; *adv.*, resolutely.
entschlum'mern, *intr.*, (s.), to fall asleep; des Entschlummerten, of him who had fallen asleep.
Entschluß' (-schlus'ses, -schlüsse), *m.*, resolution, determination, decision.
entschul'digen, *tr.*, to excuse; *refl.*, excuse one's self. Entschuldige mich bei Pfyffer, make my excuses to Pfyffer.
entset'zen, *tr.*, to frighten, terrify.
Entset'zen (-s), *n.*, terror.
entsteh'en (entstand, entstanden), *intr.*, (s.), to arise; begin.
entstel'len, *tr.*, to distort, discompose.
entwe'der, *conj.*, either.
entwick'eln, *tr.*, to develop.
entzün'den, *tr.*, to kindle, set on fire; inflame.
er, *pers. pron.*, he, it.
erbar'men, *refl.* (*with gen.*), to pity, have mercy on.
Erbau'ung, *f.*, edification.
Er'be (-n, -n), *m.*, heir.
Er'be (-s, *no pl.*), *n.*, inheritance.
erblas'sen, *intr.*, (s.), to turn pale, pale; die.
erblick'en, *tr.*, to see, catch sight *or* a glimpse of.
erbrech'en (erbrach, erbrochen), *tr.*, to break open.
Er'de (–, -n), *f.*, earth.
erdenk'lich, *adj.*, imaginable, conceivable.
erdrück'en, *tr.*, to crush, press to death.
erfah'ren (erfuhr, erfahren), *tr.*, to learn, hear, hear of.
Erfah'rung (–, -en), *f.*, experience; knowledge; in – bringen, to learn, be informed.
erfech'ten (erfocht, erfochten), *tr.*, to gain by fighting.
Erfolg' (-[e]s, -e), *m.*, (result) success.
erfreu'en, *refl.*, to rejoice; enjoy (*with gen.*).
erfül'len, *tr.*, to fill.

erge'ben (ergab, ergeben), *refl.*, to surrender.

ergöt'zen, *tr.*, to amuse, delight.

ergrau'en, *intr.*, (s.), to become gray.

ergrei'fen (ergriff, ergriffen), *tr.*, to seize, take up.

erhal'ten (erhielt, erhalten), *tr.*, to sustain; receive, get; obtain.

erhe'ben (erhob, erhoben), *tr.*, to lift up; elevate, raise; *refl.*, to rise.

erhel'len, *tr.*, to light up; *intr.*, to grow bright.

erin'nerlich, *adj.*, present to one's mind; war mir nicht –, I did not remember.

erin'nern, *tr.*, to remind; *refl.*, (*with gen.*), to remember; recollect.

Eri'nnerung (–, -en), *f.*, remembrance, souvenir, recollection.

erken'nen (erkannte, erkannt), *tr.*, perceive, discern; know; recognize.

erklä'ren, *tr.*, to declare. *refl.*, to declare one's self.

erklim'men (erklomm, erklommen), *tr.*, to climb (up).

Erkun'digung (–, -en), *f.*, inquiry.

erlan'gen, *tr.*, to attain; obtain.

erlau'ben, *tr.*, to permit, allow.

erlaucht', *adj.*, illustrious, eminent.

erläu'tern, *tr.*, to elucidate, explain.

erle'ben, *tr.*, to live to see; dem Erlebten nachsinnend, thinking over what I had experienced.

Erleb'nis (-nisses, -nisse), *n.*, experience, adventure.

erleich'tern, *tr.*, to lighten; make easy, facilitate; relieve.

erler'nen, *tr.*, to learn.

erleuch'ten, *tr.*, to illuminate.

erlösch'en, *tr.*, to extinguish, *intr.*, (erlosch, erloschen), (s.), to go out; become void; erloschen, *part. adj.*, dimmed, dull, without lustre, become void.

erlö'sen, *tr.*, to save; deliver.

ermat'ten, *tr.*, to tire.

ermor'den, *tr.*, to murder.

Ermordung (–, -en), *f.*, murder.

ernäh'ren, *tr.*, (nourish) to support.

Ernst (-es), *m.*, earnestness, seriousness, gravity.

ernst, *adj.*, earnest, serious, grave.

ernst'haft, *adj.*, serious, grave.

ernst'lich, *adj.*, earnest, serious, *adv.*, seriously.

erör'tern, *tr.*, to discuss.

erreg'bar, *adj.*, excitable; irritable.

erre'gen, *tr.*, to stir up, excite.

erregt', *part. adj.*, excited; immer erregter, more and more excited.

Erre'gung (–, en), *f.*, emotion, excitement.

errei'chen, *tr.*, to attain, obtain.

errö'ten, *intr.*, (s.), to redden; blush.

erschal'len (erscholl, erschollen, *or regular*), *intr.*, (s.), to resound.

erschei'nen (erschien, erschienen), *intr.*, (s.), to appear.

Erschei'nung (–, -en), *f.*, appearance; sight; person.

erschla'gen (erschlug, erschlagen), *tr.*, to slay.

erschrock'en (erschrecken), *part. adj.*, alarmed.

erschüt'tern, *tr.*, to shake.

Erschüt'terung (–, en), *f.*, commotion.

erseh'nen, *tr.*, to long for.

erst, *num. adj.*, first; early; *adv.*, first, at first; not until, only.

erſtar'ken, *intr.*, (ſ.), to grow strong.
erſtar'ren, *intr.*, (ſ.), (to stiffen) become motionless.
erſtau'nen, *intr.*, (ſ.), to be astonished, be surprised.
Erſtau'nen (-s), *n.*, astonishment.
erſte'chen (-ſtach, -ſtochen), *tr.*, to kill (with the sword).
erſtei'gen (erſtieg, erſtiegen), *tr.*, to ascend, climb.
erſu'chen, *tr.*, to request, beg.
ertra'gen (ertrug, ertragen), *tr.*, to bear, endure.
ertrin'ken (ertrank, ertrunken), *intr.*, (ſ.), to drown; ein Ertrinkender, a drowning man.
erwach'en, *intr.*, (ſ.), to awake.
erwachſ'en (erwuchs, erwachſen), *intr.*, (ſ.), to grow up; spring from.
erwä'gen (erwog, erwogen), *tr.*, to weigh; ponder, consider.
erwar'ten, *tr.*, to expect; wait for, await.
erwei'ſen (erwies, erwieſen), *tr.*, to show, render.
erwei'tern, *tr.*, to widen.
erwi'dern, *tr.*, to return, reply.
erzäh'len, *tr.*, to tell, narrate, relate.
es, *pers. pron.*, it; there (*before a verb*), es giebt, there is *or* are.
et (*French*), and.
et'wa, *adv.*, perhaps; about.
et'was, *indecl. pron.*, something; *adv.*, somewhat.
euch, you.
eu'er, *poss. adj.*, your.
eu'rig, *poss. pron.*, your; yours.
evange'liſch (v *pronounced as* v *or* f); *adj.*, evangelical; Protestant.
Evange'lium (v *pronounced as* v *or* f) (-s), *n.*; *pl.*, Evangelien, Gospel.
e'wig, *adj.*, eternal, everlasting.
E'wigkeit, *f.*, eternity.

F

Fach (-[e]s, ⁿer), *n.*, compartment, drawer.
Fack'el (–, -n), *f.*, torch.
Fack'elſchein (-[e]s, -e), *m.*, torchlight.
fäh'ig, *adj.*, capable.
fahl, *adj.*, pale.
Fah'ne (–, -n), *f.*, standard, colors, flag.
Fähn'rich (-[e]s, -e), *m.*, ensign.
fah'ren (fuhr, gefahren), *intr.*, (ſ.), to go; descend.
Fahr'waſſer (-s), *n.*, channel.
Fal'be (-n, -n), *m.*, cream-colored (*or* pale dun-colored) horse.
Fall (-es, ⁿe), *m.*, case.
fal'len (fiel, gefallen), *intr.*, (ſ.), to fall, drop; die; go off (of a shot); aufs Herz fallen, to weigh heavily upon the heart; es fällt mir auf die Nerven, it grates upon my nerves; – laſſen, to drop.
falſch, *adj.*, false; faithless; *adv.*, falsely, wrongly.
Fal'te (–, -n), *f.*, fold; wrinkle.
fal'ten, *tr.*, to fold.
familiär', *adj.*, familiar.
Fami'lienname (-ns, -n), *m.*, family-name.
fana'tiſch, *adj.*, fanatical.
Fanatis'mus, *m.*, fanaticism.

fang'en (fing, gefangen), *tr.*, to catch, capture.
Far'be (–, -n), *f.*, color.
farb'los, *adj.*, colorless, pale.
faſ'ſen, *tr.*, to seize.
Faſ'ſung, *f.*, composure, self-command.
faſt, *adv.*, almost, nearly.
Fauſt, *f.*, *pl.* Fäuſte, fist.
Fecht'boden (-s, – *and* ¨), *m.*, fencing-room, fencing-school.
fech'ten (focht, gefochten), *intr.*, to fight, fence.
Fech'ten (-s), *n.*, fighting, fencing.
Fech'ter (-s, –), *m.*, swordsman, fencer.
Fecht'kammer (–, -n), *f.*, fencing-room.
Fecht'meiſter (-s, –), *m.*, fencing-master.
Fecht'ſaal (-[e]s, -ſäle), *m.*, = Fecht=boden.
Fecht'ſchule (–, -n), *f.*, fencing-school; die hohe –, the high *or* fancy school of fencing.
Fecht'wams (-wamſes, -wämſer), *n.*, fencing-jacket.
Fe'der (–, -n), *f.*, feather; pen.
feh'len = fehlſchlagen, *intr.*, to fail.
Fehl'tritt (-[e]s, -e), *m.*, false step; error, mistake.
fei'erlich, *adj.*, solemn; *adv.*, solemnly.
fei'ern, *tr.*, to solemnize, celebrate.
feig, *adj.*, cowardly.
fein, *adj.*, fine; delicate, elegant, refined, soft, gentle, small; -e Stimme, soft, gentle *or* small voice; *adv.*, delicately.
Feind (-[e]s, -e), *m.*, enemy.
feind'lich, *adj.*, hostile, adverse.
feind'ſelig, *adj.*, hostile, malevolent.
Feind'ſeligkeit (–, -en), *f.*, malevolence; hostility.
Feld (-[e]s, -er), *n.*, field.
Feld'bett (-[e]s, -en), *n.*, cot(-bed).
Feld'binde (–, -n), *f.*, sash.
Feld'herr (-n, -en), *m.*, general.
Feld'herrnkunſt, *f.*, strategy, generalship.
Feld'zug (-[e]s, ¨e), *m.*, campaign.
Fels'ſtück (-[e]s, ¨e), *n.*, piece of rock.
Fen'ſter (-s, –), *n.*, window.
Fen'ſterchen (-s, –), *n.*, little window.
Fen'ſterniſche (–, -n), *f.*, window-recess.
fern[e], *adj. and adv.*, far, remote, distant; von fern, from afar, distantly.
Fer'ſe (–, -n), *f.*, heel.
Fer'tigkeit (–, -en), *f.*, skill, dexterity.
feſt, *adj.*, firm, solid; well skilled *or* versed; *adv.*, resolutely.
Feſt (-es, e), *n.*, feast, festival.
Feſ'tigkeit, *f.*, firmness.
Feſt'lärm (-[e]s), *m.*, festive noise.
feſt'lich, *adj.*, festive.
feſt'nehmen (nahm –, -genommen), *tr.*, to arrest, take into custody.
Feſt'nehmung, *f.*, arrest.
feſt'ſtehen (ſtand –, -geſtanden), *intr.*, (h *and* ſ.), to be fixed *or* settled.
feucht, *adj.*, moist, damp; dewey.
Feu'er (-s, –), *n.*, fire; ardor, mettle.
Feu'ersbrunſt (–, ¨e), *f.*, fire, conflagration.

feu'rig, *adj.*, fiery, ardent; *adv.*, ardently, fervidly, with fire.
Fie'berfrost (-es, ⁼e), *m.*, cold chill.
fie'berisch, *adj.*, feverish.
Fie'bertraum (-[e]s, ⁼e), *m.*, feverish dream.
Filz (-es, -e), *m.*, felt hat.
Filz'hut (-[e]s, ⁼e), *m.*, felt hat.
fin'den (fand, gefunden), *tr.*, to find, discover; think, deem; *refl.*, to be found.
Fing'er (-s, –), *m.*, finger.
fin'ster, *adj.*, dark; gloomy.
Fin'te (–, -n), *f.*, feint.
fla'ckern, *intr.*, to flare, flicker; vacillate.
Flam'me (–, -n), *f.*, flame; love, sweetheart.
Flan'dern (-s), *n.*, Flanders.
flan'drisch, *adj.*, of Flanders, Flemish.
fle'hen, *tr.*, to implore, beseech, entreat.
fle'hentlich, *adv.*, imploringly, urgently.
flie'hen (floh, geflohen), *intr.*, (s.), to flee, fly.
flie'ßen (floß, geflossen), *intr.*, (s.), to flow.
flim'mern, *intr.*, to glitter; twinkle.
Fluch'gebärde (–, -n), *f.*, gesture of malediction.
flüch'ten, *refl.*, to fly, take to flight.
flüch'tig, *adj.*, hasty, slight; *adv.*, hastily, slightly.
fluch'würdig, *adj.*, execrable.
flugs, *adv.*, quickly, instantly.
Flur (-[e]s, -e), *m.*, entrance-hall, hallway.
Fluß (-sses, ⁼sse), *m.*, river, stream.
Fluß'göttin (–, -nen), *f.*, naiad.
flüs'tern, *intr.*, to whisper.
flu'ten, *intr.*, to flow.
Fol'ge (–, -n), *f.*, consequence; – leisten, to comply with.
fol'gen, *intr.* (*with dat.*), (s.), to follow, succeed; ensue.
Foliant' (-en, -en), *m.*, folio volume.
Fontainebleau, Fontainebleau (the celebrated palace and park 35 miles south-east of Paris).
for'dern, *tr.*, to demand.
Format' (-[e]s, -e), *n.*, size.
for'men, *tr.*, to form, shape.
for'schen, *tr. and intr.*, to search, examine, inquire, scrutinize.
fort, *adv.*, on, away.
fortan', *adv.*, henceforth.
fort'arbeiten, *intr.*, to keep working.
fort'bringen (brachte –, -gebracht), *tr.*, to carry away.
fort'fahren (fuhr –, -gefahren), *intr.*, to continue, go on.
fort'gehen (ging –, -gegangen), *intr.*, (s.), to proceed, continue.
Fort'kommen (-s), *n.*, departure, getting away.
fort'schnarchen, *intr.*, to snore away, continue snoring.
fort'wüten, *intr.*, to continue to rage.
Fourier (*pronounce* Furir') (-[e]s, -e), *m.*, quartermaster-sergeant; messenger.
Fra'ge (–, -n), *f.*, question; point.
fra'gen (*usually regular. pret.* frug *is archaic*), *tr.*, to ask, inquire, interrogate, question; fragend (*pres.part. used adv.*), inquiringly.
frag'lich, *adj.*, in question.
frag'würdig, *adj.*, questionable,

suspicious, problematical; vor etwas unendlich Fragwürdigem, before something infinitely suspicious *or* problematical.

Frank'reich (-s), *n.*, France.

Franz Godillard, *m.*, Frank Godillard.

Franziska'ner (-s, –), *m.*, Franciscan (friar). *See page* 42, *line* 17.

Franziska'nermönch (-[e]s, -e), *m.*, Franciscan friar.

Franzo'se (-n,- n), *m.*, Frenchman.

franzö'sisch, *adj.*, French.

Franzö'sisch, *n.*, *indecl.*; das Französische, French, the French language.

Frat'zenspiel (-[e]s, -e), *n.*, farce; grimaces.

Frau (–, -en), *f.*, woman; lady; wife.

Fräu'lein (-s, –), *n.*, miss (title); damsel, young lady.

frech, *adj.*, insolent, impudent.

frei, *adj.*, free; disengaged; clear.

Frei'beuter (-s, –), *m.*, freebooter.

Frei'burg (-s), *n.*, Fribourg (a canton in the western part of Switzerland whose capital bears the same name).

Frei'burger (-s, –), *m.*, citizen of Fribourg.

Frei'e (*declined as adj.*), *n.*, open air; ins –, into the open air, out of doors.

frei'geben (gab –, -gegeben), *tr.*, to release.

Frei'grafschaft, *f.* *See page* 26, *line* 5.

Frei'heit, *f.*, freedom, liberty.

frei'lassen (ließ –, -gelassen), *tr.*, to set free.

frei'lich, *adv.*, indeed, certainly, to be sure.

Frei'schar (–, -en), *f.*, volunteer-corps.

fremd, *adj.*, strange; foreign; unknown; of others. [ger.

Frem'de[r] (*declined as adj.*), stran-

Fremd'ling (-[e]s, -e), *m.*, stranger.

Freu'de (–, -n), *f.*, joy; enjoyment, pleasure, delight; – haben an, to be delighted with, delight in, take pleasure in, be pleased at.

freu'delos, *adj.*, joyless, cheerless.

Freu'denbezeugung (–, -en), *f.*, attestation *or* evidence of joy.

freu'dig, *adj.*, joyful, joyous.

freu'en, *refl.*, to be glad of (über).

Freund (-[e]s, -e), *m.*, friend.

Freun'destreue, *f.*, friendly faithfulness, faithfulness of friendship.

freund'lich, *adj.*, kind, friendly.

Freund'lichkeit (–, -en), *f.*, kindness, affability.

Freund'schaft (–, -en), *f.*, friendship.

fre'velhaft, *adv.*, wickedly, criminally.

Frie'de[n] (-ns, ...den), *m.*, peace.

Frie'densedikt (-[e]s, -e), *n.*, edict of peace.

fried'lich, *adj.*, peaceable, peaceful; *adv.*, peaceably, peacefully.

frisch, *adj.*, fresh; brisk; *adv.*, recently.

Fri'sche, *f.*, freshness; vigor.

frisch'grün, *adj.*, fresh green.

Frist (–, -en), *f.*, time; respite, delay.

froh, *adj.*, joyous, joyful, glad.

fröh'lich, *adj.*, joyous; merry, cheerful; *adv.*, merrily, cheerfully.

froh'locken, *intr.*, to exult.

fromm, *adj.*, pious, religious, godly; quiet; brave; good.

fruch'ten, *intr.*, to be effectual, be of use.
frug, *see* fragen.
früh, *adj.*, early; premature; -er (*comp.*), previous.
Frü'he, *f.*, morning time, early time; in der ersten –, in the early morning.
Früh'lingserde, *f.*, earth in springtime.
früh'stücken, *intr.*, to breakfast.
fühl'bar, *adj.*, sensible, perceptible.
füh'len, *tr.*, to feel; be sensible *or* aware of; *refl.*, to feel.
füh'ren, *tr.*, to lead, guide; manage, wield, deal; carry on; den Namen –, to bear the name.
Füh'rer (-s, –), *m.*, leader.
Fül'le, *f.*, fulness, richness.
fül'len, *tr.*, to fill; *refl.*, to be filled.
Fundament' (-[e]s, -e), *n.*, foundation; aus dem –, thoroughly.
fünf, *num.*, five.
fünft, *num. adj.*, fifth.
Fünf'teil (-teil *in such compounds is usually shortened to* -tel) (-[e]s, -e), *m.*, fifth.
fünf'zig, *num.*, fifty.
Funk'e[n] (-n[s], ...ken), *m.*, spark.
für, *prep.* (*with acc.*), for; to.
Furcht, *f.*, fear, fright, dread.
furcht'bar, *adj.*, terrible.
fürch'ten, *tr.*, to fear.
fürch'terlich, *adj.*, terrible, horrible, frightful.
furcht'sam, *adj.*, timid.
fürst'lich, *adj.*, princely.
Für'wort (-[e]s), *n.*, intercession; – einlegen, to intercede.
Fuß (-es, ⁓e), *m.*, foot; zu -e, on foot; gut zu –, a great walker.

G

Gal'gen (-s, –), *m.*, gallows, gibbet.
Gal'le, *f.*, gall; die – lief mir über, my blood was up.
galoppie'ren, *intr.*, to gallop.
Gang (-[e]s, ⁓e), *m.*, gait; passage, corridor; hall; progress, course; bout.
ganz, *adj.*, whole, entire, all, total; complete; *adv.*, quite, entirely, wholly, totally.
gänz'lich, *adv.*, totally, wholly.
gar, *adv.*, quite; at all; – nicht, not at all.
Gar'aus, *m.*, end, ruin; den machen (*with dat.*), to kill.
Gar'ten (-s, ⁓), *m.*, garden.
Gasco'gner (-s, –), (gn *pronounced* nj), *m.*, Gascon.
Gasparde, *f.*, Gasparde.
Gas'se (–, -n), *f.*, narrow street, lane *or* passage.
Gast (-[e]s, ⁓e), *m.*, guest; visitor, stranger.
Gast'freund (-[e]s, -e), *m.* (one who extends or receives hospitality), host; guest.
Gast'haus (-es, ⁓er), *n.*, hotel, inn.
Gast'stube (–, -n), *f.*, parlor.
Gauk'lerin (–, -nen), *f.*, juggler, conjurer, illusionist.
Gaul (-[e]s, ⁓e), *m.*, horse, nag.
Gebär'de (–, -n), *f.*, gesture.
gebär'den, *refl.*, to behave, conduct one's self.
Gebär'denspiel (-[e]s), *n.*, gesticulation, gestures.
gebä'ren (gebar, geboren), *tr.*, to give birth to; geboren, born.

Gebäu'de (-s, –), *n.*, building.
Gebein' (-[e]s, -e), *n.*, bones; skeleton; remains.
ge'ben (gab, gegeben), *tr.*, to give; Gott gebe, God grant; es gibt, there is, there are; was es gäbe, what might be the matter.
Gebet' (-[e]s, -e), *n.*, prayer.
Gebiet' (-[e]s, -e), *n.*, district, territory; province, sphere.
gebie'ten (gebot, geboten), *tr.*, to command, order; *intr.* (über), to rule; control; possess, dispose of.
Gebil'de (-s, –), *n.*, creation; work; form.
Gebirgs'zug (-[e]s, ⁿe), *m.*, mountain range.
gebo'ren, *see* gebären.
Gebot' (-[e]s, -e), *n.*, command (ment), order.
Gebrauch' (-[e]s, ⁿe), *m.*, use, custom.
gebüh'rend (*pres. part. used adv.*), properly.
Geburt' (–, -en), *f.*, birth; extraction.
Gedächt'nis (...nisses), *n.*, memory.
Gedank'e[n] (-ns, -n), *m.*, thought, idea.
Gedank'engang (-[e]s, ⁿe), *m.*, train *or* line of thought.
Gedank'enstätte (–, -n), *f.*, place for thinking.
Gedeck' (-[e]s, -e), *n.*, cover (at table); *popularly*, knife and fork.
gedeih'en (gedieh, gediehen), *intr.*, (s.), to thrive; prosper.
gedenk'en (gedachte, gedacht), *tr.*, *or intr.* (*with gen. or* an *with acc.*), to think of; intend.
Gedräng'e (-s), *n.*, crowd, throng.
geeig'net, *adj.*, fit, suitable.
Gefahr' (–, -en), *f.*, danger, peril, risk; – laufen, to run the risk; auf die – hin, at the risk.
gefähr'lich, *adj.*, dangerous; das Gefährliche, what is dangerous, the danger.
Gefal'len (-s), *m.*, pleasure; favor, kindness.
Gefäl'ligkeit (–, -en), *f.*, kindness, favor.
gefang'en, *part. adj.*, imprisoned; captured, captive.
Gefang'ene[r] (*declined as adj.*), *m.*, prisoner.
gefaßt' *part. adj.*, composed, calm; sich – machen, to prepare one's self (auf, for).
Gefol'ge (-s), *n.*, retinue, suite, attendants.
Gefühl' (-[e]s, -e), *n.*, feeling, sense.
ge'gen, *prep.* (*with acc.*), towards; against; to; at; in exchange for.
Ge'gendienst (-es, -e), *m.*, service in return.
Ge'genfrage (–, -n), *f.*, question in return, counter-question.
Ge'gengrund (-[e]s, ⁿe), *m.*, opposing reason.
ge'genseitig, *adj.*, mutual.
Ge'genstand (-[e]s, ⁿe), *m.*, object; subject.
gegenü'ber, *prep.* (*with dat.*), *and adv.*, opposite; in front of; face to face.
gegenü'berstehen (stand –, -gestanden), *intr.* (*with dat.*), to face, confront.
Ge'genwart, *f.*, presence.

Geg'ner (-s, –), *m.*, opponent, adversary.

geha'ben, *refl.*, to behave; gehabt euch wohl! farewell!

geheim', *adj.*, secret; clandestine; private.

geheim'nisvoll, *adj.*, mysterious.

ge'hen (ging, gegangen), *intr.*, (s.), to go, walk; fare; be; happen.

Geheul' (-[e]s) *n.*, howl.

Gehirn' (-[e]s, -e), *n.*, brain.

gehor'chen, *intr.*, to obey.

gehö'ren, *intr.*, to belong; appertain.

gehö'rig, *adj.*, belonging.

gehor'sam, *adj.*, dutiful, obedient.

Geist (-es, -er), *m.*, spirit; mind, intellect.

geist'lich, *adj.*, spiritual; ecclesiastical, clerical.

Geist'liche[r] (*declined as adj.*), *m.*, clergyman, minister.

geist'voll, *adj.*, intellectual, expressive; *adv.*, brightly.

gelähmt', *part. adj.*, crippled, paralyzed, paralytic.

Gelän'der (-s, –), *n.*, balustrade, railing.

gelang'en, *intr.*, (s.), to arrive at, reach, come.

Gelaß' (...lasses, ...lasse), *n.*, room, space.

gelas'sen (*perf. part. used adv.*), calmly.

Gelas'senheit, *f.*, calmness, composure.

Geld (-[e]s, -er), *n.*, money.

gele'gen, *part. adj.*, situated; convenient, opportune.

Gele'genheit (–, -en), *f.*, occasion, opportunity.

gelehrt', *adj.*, learned, erudite.

Gelehr'te[r] (*declined as adj.*), *m.*, scholar.

gelei'ten, *tr.*, to conduct, escort.

geliebt', *part. adj.*, (be)loved.

geling'en (gelang, gelungen), *intr.*, (s.), to succeed; es gelang ihm, he succeeded (in).

Geling'en (-s), *n.*, success.

gelo'ben, *tr.*, to promise.

gel'ten (galt, gegolten), *intr.*, to be worth; pass (for, für); be the question; be of importance; be meant; galt es ernst, if it had been meant in earnest.

gelung'en, *part. adj.*, (gelingen), capital, excellent.

Gemach' (-[e]s, ⁻er), *n.*, apartment, chamber.

Gemahl' (-[e]s, -e), *m.*, husband.

gemein', *adj.*, common; low, vulgar.

gemes'sen, *part. adj.*, measured.

Gemisch' (-[e]s, -e), *n.*, mixture.

Gemüt' (-[e]s, -er), *n.*, mind, soul, heart, feeling.

gemüt'lich, *adj.*, genial, sociable.

Gemüts'bewegung (–, -en), *f.*, emotion.

genau', *adv.*, precisely.

genehm', *adj.*, agreeable; acceptable.

General'staaten, *see page* 13, *line* 12.

Genf (-s), *n.*, Geneva.

genial', *adj.*, full of genius, gifted.

Genos'senschaft (–, -en), *f.*, company; association, union.

genug', *adv. and indecl. adj.*, enough, sufficient.

genü'gen, *intr.*, to suffice; satisfy.

Genug'tuung, *f.*, satisfaction.

Genuß′ (...nusses, ...nüsse), *m.*, enjoyment, pleasure.
Geographie′, *f.*, Geography.
Gepäck′ (-[e]s, -e), *n.*, baggage.
gepan′zert, *part. adj.*, mail-clad.
Geplau′der (-s), *n.*, prattle, chatter, small talk.
gera′de, *adv.*, just, exactly, straight.
geradeswegs′, *adv.*, straight, directly.
gera′ten (geriet, geraten), *intr.*, (s.), to come, get (into, in); turn out; ... geriet ich in das entgegengesetzte Fahrwasser, I got into the contrary channel.
gerecht′, *adj.*, just, righteous.
Gerech′tigkeit, *f.*, justice.
Gere′de (-s), *n.*, speaking, silly talk.
geriet, *see* geraten.
gerin′nen (gerann, geronnen), *intr.*, (s.), to curdle.
gern, *adv.*, with pleasure, willingly, readily, easily.
geru′hen, *intr.*, to be pleased, condescend, deign.
Geschäft′ (-[e]s, -e), *n.*, business.
gesche′hen (geschah, geschehen), *intr.*, (s.), to come to pass, happen.
Geschich′te (–, -n), *f.*, history; story.
Geschick′ (-[e]s, -e), *n.*, destiny, fate.
geschickt′, *part. adj.*, clever, skillful.
Geschlecht′ (-[e]s, -er), *n.*, race; family,
Geschmack′ (-[e]s, ″e), *m.*, taste; fancy.
geschmei′dig, *adj.*, flexible, pliant.
Geschrei′ (-[e]s), *n.*, cry.
geschunden, *see* schinden.
geschwind′, *adv.*, fast, quickly, swiftly.
Gesel′ligkeit, *f.*, sociability.
Gesell′schaft (–, -en), *f.*, society; company.
Gesetz′ (-es, -e), *n.*, law, statute; rule.
gesetzt′, *part. adj.*, sedate; supposing.
Gesicht′ (-[e]s, -er), *n.*, face; countenance.
Gesicht′chen (-s, –), *n.*, little face.
Gesichts′zug (-[e]s, ″e), *m.*, feature.
Gesims′ (...simses, ...simse), *n.*, moulding.
Gesin′del (-s), *n.*, mob; pack.
Gesin′nung (–, -en), *f.*, intention; opinion; bei so vortrefflichen -en, in view of so excellent sentiments.
gespannt′, *part. adj.*, tense; high-wrought; anxious.
Gespräch′ (-[e]s, -e), *n.*, conversation, talk.
Gestalt′ (–, -en), *f.*, form, figure.
gestat′ten, *tr.*, to permit, allow.
ges′tern, *adv.*, yesterday; – nacht, last night.
gestreng′, *adj.*, strict, severe.
gesund′, *adj.*, sound, healthy.
Getränk′ (-[e]s, -e), *n.*, beverage, drink.
getreu′, *adv.*, faithfully.
getrös′ten, *refl.* (*with gen.*), to expect confidently.
Getüm′mel (-s), *n.*, turmoil; crowd; mêlée.
gewahr′, *adj.*, sensible, aware (of).
gewäh′ren, *tr.*, to give, allow, grant.
gewähr′leisten, *tr.*, to guarantee.
Gewalt′ (–, -en), *f.*, power; force; mit –, by main force.
gewal′tig, *adv.*, greatly, exceedingly.
Gewand′ (-[e]s, ″er), *n.*, dress.
gewandt′, *part. adj.*, clever, skillful.

gewin'nen (gewann, gewonnen), *intr. and tr.*, to win; gain, get; take on.
gewiß', *adj.*, certain; sure; constant, fixed; *adv.*, certainly, no doubt.
Gewis'sen (-s, –), *n.*, conscience.
Gewis'sensangst, *f.*, qualms of conscience.
Gewit'ter (-s, –), *n.*, storm; thunderstorm.
gewo'gen, *adj.*, kindly disposed.
gewohnt', *part. adj.*, accustomed; customary, habitual, usual; familiar.
gewun'den, *part. adj.*, (winden), spiral, wound, twisted.
gezie'men, *intr.* (*with dat.*), to become, befit.
gezwung'en, *part. adj.* (zwingen), forced; *adv.*, in a forced manner; affectedly.
Gie'bel (-s, –), *m.*, gable, gable end.
gie'rig, *adj.*, eager, greedy, hungry.
Gift (-[e]s, -e), *n.*, poison.
gif'tig, *adj.*, poisonous, venomous; angry.
Gil'bert (-s), *m.*, Gilbert.
glän'zen, *intr.*, to glitter; shine.
glän'zend, *part. adj.*, bright, brilliant, lustrous; *adv.*, brilliantly.
Glas (-es, "er), *n.*, glass.
Glau'be[n] (-ns), *m.*, faith, belief; religion; creed.
glau'ben, *tr.*, to believe; think, suppose.
Glau'bensbruder (-s, "), *m.*, fellow-believer, co-religionist.
Glau'bensgenosse (-n, -n), *m.*, fellow-believer, co-religionist.
Glau'bensspaltung (–, -en), *f.*, schism.
glaub'würdig, *adj.*, credible.
gleich, *adj.*, like; *adv.*, presently, immediately, directly.
glei'chen (glich, geglichen), *intr.*, to be like, resemble.
gleich'gültig, *adj.*, indifferent; *adv.*, with indifference.
Gleich'gültigkeit, *f.*, indifference.
gleich'mäßig, *adj.*, regular.
gleich'sehen (sah –, –gesehen), *intr.* (*with dat.*), to look like.
gleich'zeitig, *adv.*, simultaneously.
glei'ten (glitt, geglitten), *intr.*, (s.), to glide; flit; pass.
Glied' (-[e]s, -er), *n.*, limb, member.
Glock'e (–, -n), *f.*, bell.
Glück (-[e]s), *n.*, luck, good luck, good fortune; – machen, to be a source of happiness; succeed; – wünschen, to wish joy, congratulate (on, zu).
glück'lich, *adj.*, happy, fortunate; *adv.*, safely.
Glücks'fall (-[e]s, "e), *m.*, lucky event, piece of good luck.
glü'hen, *intr.*, to glow; glühend, (*pres. part. used adv.*), ardently.
Gna'denmutter, *f.*, Mother of grace, the Virgin.
Gna'denort (-es, "er), *m.*, place of pilgrimage.
Gna'denwunder (-s, –), *n.*, miracle of grace.
gnä'dig, *adj.*, gracious.
Gold (-s), *n.* gold
Gold'gulden (-s, –), *m.*, gold florin (one of the several gold coins formerly current in Europe. In this case, its value was probably between $1.50 and $1.75).

gön'nen, *tr.*, not to grudge, not begrudge; grant, allow.
Gön'ner (-s, –), *m.*, patron.
go'tisch, *adj.*, Gothic.
Gott (-es, ⁼er), *m.*, God; – **sei Dank!** thanks to God!
Got'tesdienst (-[e]s, -e), *m.*, public worship, divine service.
Got'tesfurcht, *f.*, piety, fear of God.
Got'tesleugnung, *f.*, atheism.
Got'teswillen, um – ! (= **um Gottes willen!**), for God's sake!
Gott'heit (–, -en), *f.*, deity; divinity.
gött'lich, *adj.*, divine; godlike.
Gott'losigkeit, *f.*, godlessness, impiety.
Göt'zenbild (-[e]s, -er), *n.*, idol.
Göt'zendiener (-s, –), *m.*, idolater.
Grab (-[e]s, ⁼er), *n.*, grave; tomb.
Graf (-en, -en), *m.*, Count.
gräf'lich, *adj.*, belonging to a count.
Graf'schaft (–, -en), *f.*, earldom; county, countship.
Gram (-[e]s), *m.*, grief, sorrow.
gra'sen, *intr.*, to graze.
Grat (-[e]s, -e), *m.*, edge, ridge.
grau, *adj.*, gray.
grau'en, *intr.*, to turn gray.
grau'sam, *adj.*, cruel; fierce; inhuman.
Grau'samkeit (–, -en), *f.*, cruelty.
grau'sig, *adj.*, dreadful, awful.
grei'fen (**griff, gegriffen**), *tr.*, to seize, lay hold of; grasp, catch.
Greis (-es, -e), *m.*, old man.
grell, *adj.*, glaring, dazzling.
Gren'ze (–, -en), *f.*, frontier, boundary.
Greu'el (-s, –), *m.*, horror, outrage.
greu'lich, *adj.*, horrible.
Gre'veplatz (-es), *m.* *See page* 63, *line* 19.
grim'mig, *adj.*, fierce, furious.
grin'sen, *intr.*, to grin, sneer.
Groll (-[e]s), *m.*, resentment.
groß (*comp.* **größer**, *sup.* **größt**), *adj.*, great, large; eminent; **alles Große**, everything that is great.
Grö'ße (–, -en), *f.*, magnitude, extent.
Grübelei' (–, -en), *f.*, subtile investigation; brooding.
Grund (-[e]s, ⁼e), *m.*, reason, motive.
grün'den, *tr.*, to found.
gründ'lich, *adj.*, profound, thorough.
grund'sätzlich, *adv.*, on principle.
grun'zen, *intr.*, to grunt.
Grup'pe (–, -en), *f.*, group.
Gruß (-es, ⁼e), *m.*, salutation, greeting.
grü'ßen, *tr.*, to greet, salute, bow to.
Guiche, *see page* 55, *line* 27.
Guise, *see page* 23, *line* 24.
Gunst, *f.*, favor, goodwill; pleasure.
gün'stig, *adj.*, favorable, propitious, advantageous.
Gurt (-[e]s, -e), *m.*, belt.
Gür'tel (-s, –), *m.*, belt.
gut, *adj.*, good, well; **Gutes**, (what is) good; **und das hätte noch das Gute**, and there would be this additional advantage; *adv.*, well.
Gut (-[e]s, ⁼er), *n.*, property, estate.
gut'mütig, *adj.*, good-natured.

H

Haar (-[e]s, -e), *n.*, hair.
haar'sträubend, *part.adj.*, revolting, horrible, shocking.
Ha'be, *f.*, property, effects.

ha'ben (hatte, gehabt), *tr.*, to have; wie wenn das nichts auf sich hätte, as if that were nothing to speak of.
ha'dern, *tr.*, to quarrel.
Haft, *f.*, custody; in – nehmen, to arrest.
haf'ten, *intr.* (to stick), cling; be attached; – bleiben, to remain fixed *or* fastened.
halb, *adj. and adv.*, half.
halb'geschlossen, *part. adj.*, (schließen), half-closed.
halb'laut, *adv.*, in an undertone.
halb'nackt, *adj.*, half-naked.
Halb'schlummer (-s), *m.*, half-slumber.
halb'zerschmettert, *part. adj.*, half-shattered.
Hal'de (–, -en), *f.*, slope.
Hälf'te (–, -n), *f.*, half; zur –, half.
hal'len, *intr.*, to resound.
Hals (-[e]s, ⁻e), *m.*, neck; throat; – über Kopf, headlong, precipitately; auf dem -e haben, to have on one's hands, be saddled *or* burdened with.
Hals'kragen (-s, –), *m.*, collar.
hal'ten (hielt, gehalten), *tr.*, to hold; keep; celebrate; deem; *refl.*, to hold out, hold one's own; reinen Mund –, not to breathe a syllable.
Hal'tung, *f.*, attitude; carriage.
Halun'ke (-n, -n), *m.*, scoundrel, rascal.
hä'misch, *adj.*, malicious.
Ham'mer (-s, ⁻), *m.*, hammer.
Hand (–, ⁻e), *f.*, hand; an der – haben, to have at hand.
Hand'bewegung (–, -en), *f.*, movement of the hand.
Hand'buch (-[e]s, ⁻er), *n.*, manual.
Han'del (-s, ⁻), *m.*, sale, deal; bargain; *pl.*, quarrel[s].
han'deln, *intr.*, to act; deal; trade; do business; es handelt sich um ..., the point in question is, ... is at stake.
Hand'schrift (–, -en), *f.*, handwriting.
Hand'streich (-[e]s, -e), *m.*, surprise.
Hand'werk (-[e]s, -e), *n.*, handicraft, trade.
hang'en (hing, gehangen), *intr.*, to hang; be suspended.
Hans (*contraction of* Johannis) (-ens), *m.*, John, Jack.
Hanswurst' (-[e]s, ⁻e), *m.*, harlequin, clown, buffoon.
harm'los, *adj.*, harmless.
har'ren, *intr.* (*with gen.*), to wait for.
hart, *adj.*, hard; severe; *adv.*, – an, close to, close by.
Haß (Hasses), *m.*, hate, hatred.
has'sen, *tr.*, to hate.
has'tig, *adj.*, hasty, hurried.
Hau'fe[n] (-ns, ...fen), *m.*, heap; pile.
häu'fig, *adj.*, frequent; *adv.*, frequently.
Häuf'lein (-s, –), *n.*, little heap.
Haupt (-[e]s, Häupter), *n.*, head; an – und Gliedern reformieren, to reform thoroughly. *See page 27, line 22.*
Haupt'gang (-[e]s, ⁻e), *m.*, main walk.
Haupt'mann (-[e]s, -leute, *or seldom* ⁻er), *m.*, captain.
Haus (-es, ⁻er), *n.*, house; family; zu -e, at home.
Haus'bank (–, ⁻e), *f.*, (house-)bench.
Haus'genosse (-n, -n), *m.*, member of the household.

Haus'stand (-[e]s, ⸗e), *m.*, household.

Haus'wirt (-[e]s, -e), *m.*, landlord.

he'ben (hob, *or* hub *archaic*, gehoben), *refl.*, to rise, be raised.

Heer'schar (–, -en), *f.*, legion; host.

Heft (-[e]s, -e), *n.*, hilt.

hef'ten, *tr.*, to fasten.

hef'tig, *adv.*, violently, vehemently.

Heil (-[e]s), *n.*, welfare; safety, salvation.

Hei'land (-[e]s), *m.*, Savior.

heil'bringend, *part. adj.*, salutary, beneficial.

hei'len, *tr.*, to cure, heal.

hei'lig, *adj.*, holy, sacred.

Hei'lige[r] (*declined as adj.*), *m.*, saint.

heil'sam, *adj.*, wholesome, salutary.

heim, *adv.*, home.

Hei'mat (–, -en), *f.*, native country, home.

Heim'fahrt (–, -en), *f.*, homeward journey; death.

heim'lich, *adv.*, secretly.

Heim'weg (-[e]s, -e), *m.*, way home, return.

Hein'rich, *m.*, Henry. *See page* 23, *line* 24, *foot-note.*

Hei'rat (–, -en), *f.*, marriage.

heiß, *adj.*, hot.

hei'ßen (hieß, geheißen), *tr.*, to bid, command; *intr.*, be said, be called, be named; mean; das heißt, that is; das will etwas heißen! that is *something!*

Heiß'sporn (-[e]s, -e), *m.*, hotspur, ardent spirit.

hei'ter, *adj.*, bright, cheerful; *adv.*, cheerfully.

Held (-en, -en), *m.*, hero.

Hel'denmut (-[e]s), *m.*, heroism.

hel'fen (half, geholfen), *intr.* (*with dat.*), to help.

Hel'ferin (–, -nen), *f.*, helper.

hell, *adj.*, bright; evident; am -en Tage, in broad daylight.

Hel'lebarde (–, -en), *f.*, halberd.

Hengst (-[e]s, -e), *m.*, horse, stallion.

her, *adv.*, hither; hinter uns –, at our heels; von der Reise –, since my journey.

herab'lassend, *part. adj.*, condescending.

heran'treten (trat –, -getreten), *intr.*, (s.), to approach.

heraus'fallen (fiel –, -gefallen), *intr.*, (s.), to fall out.

heraus'fordern, *tr.*, to challenge; provoke; herausfordernd (*pres. part. used adv.*), provokingly, defiantly.

heraus'geben (gab –, -gegeben), *tr.*, to publish; edit.

heraus'treten (trat –, -getreten), *intr.*, (s.), to withdraw, come out, retire; die Heraustretenden, those coming out *or* withdrawing.

heraus'ziehen (zog–, -gezogen), *tr.*, to draw out.

herb, *adj.*, harsh.

herbei', *adv.*, here, hither, near.

herbei'führen, *tr.*, to bring about.

herbei'rücken, *tr.*, to move near.

Her'berge (–, -n), *f.*, lodging; inn.

Herbst'morgen (-s, –), *m.*, autumn morning.

Herd (-[e]s, -e), *m.*, hearth; fireplace.

herein', *adv.*, in.

herein'rufen (rief –, -gerufen), *tr.*, to call in.

herein'stürzen, *intr.*, (s.), to rush in.
her'führen, *tr.*, to bring hither.
her'gebracht, *part. adj.*, traditional, established; das Hergebrachte, that which is traditional *or* established.
her'kommen (kam –, -gekommen), *intr.*, (s.), to come from.
Herr (-n, -en), *m.*, master; Lord; gentleman; Mr.
Her'reden (-s), *n.*, nach einigem Hin- und –, after talking the matter over and over.
her'risch, *adv.*, imperiously.
Herr'schaft (–, -en), *f.*, master and mistress, masters, lady and gentleman; meine -en, ladies and gentlemen.
herr'schen, *intr.*, to reign; prevail.
herum'lungern, *intr.*, to idle *or* loaf about.
herun'ter, *adv.*, down.
herun'terspringen (sprang –, -gesprungen), *intr.*, (s.), to jump down.
hervor'bringen (brachte –, -gebracht), *tr.*, to bring forth, produce.
hervor'dringen (drang –, -gedrungen), *intr.*, (s.), to issue forth.
hervor'heben (hob –, -gehoben), *tr.*, to render prominent.
hervor'quellen (quoll –, -gequollen), *intr.*, (s.), to spring, well *or* issue forth.
hervor'reißen (riß –, -gerissen), *tr.*, to pull out.
hervor'springen (sprang –, -gesprungen), *intr.*, (s.), to spring forth *or* out, burst forth *or* out.
hervor'treten (trat –, -getreten), *intr.*, (s.), to come out *or* forward; stand out.
hervor'ziehen (zog –, -gezogen), *tr.*, to pull *or* draw out.
Herz (-ens, -en), *n.*, heart; *see* fallen.
her'zählen, *tr.*, to enumerate.
herz'lich, *adv.*, heartily.
Herz'lichkeit, *f.*, heartiness; cordiality.
Her'zog (-[e]s, ⁻e), *m.*, duke.
her'zoglich, *adj.*, ducal.
herz'zerreißend (*pres. part. used adv.*), heartrendingly.
Heuch'lerin (–, -nen), *f.*, hypocrite.
heu'len, *intr.*, (to howl), ring dismally.
heu'te, *adv.*, to-day; – morgen, this morning; von – auf morgen, from one day to another.
Hieb (-[e]s, -e), *m.*, cut.
hieher' (*rare*) = hierher.
hier, *adv.*, here; in this place.
hierauf', *adv.*, hereupon; after this, to this.
hierher', *adv.*, hither, this way; to this.
Hil'fe (–, -n), *f.*, help, aid, assistance.
Hil'feruf (-[e]s, -e), *m.*, cry for help.
Him'mel (-s, –), *m.*, heaven; heavens.
himm'lisch, *adj.*, celestial, heavenly.
hin, *adv.*, thither, along; – und her, to and fro, backwards and forwards.
hinan', *adv.*, up.
hinan'reiten (ritt –, -geritten), *intr.*, (h. *or* s.), to ride up.
hinauf', *adv.*, up.
hinaus', *adv.*, out; darüber –, beyond that.
hinaus'drängen, *tr.*, to push out.
hin'blicken, *intr.*, to look (to).

hin'dern, *tr.*, to hinder, prevent.

Hin'dernis (...nisses, ...nisse), *n.*, hindrance, obstacle, impediment.

hin'deuten, *intr.*, to point to *or* at (auf).

hindurch', *adv.*, through, throughout.

hinein'sehen (sah –, -gesehen), *intr.*, to look in *or* into.

hinein'werfen (warf –, -geworfen), *tr.*, to throw in; einen Blick –, to take a look.

hin'hören, *intr.*, to listen (with attention).

hin'nen, *adv.*, von –, hence.

Hin'reden, *see* Herreden.

hin'schauen, *intr.*, vor sich –, to look *or* gaze in front of one's self, look away in an abstracted manner.

hin'sprechen (sprach –, -gesprochen), *tr. and intr.*, vor sich –, to say to one's self.

hin'ter, *prep.* (*with dat. or acc.*), behind.

hin'ter, *adj.*, hinder, back.

Hin'tergrund (-[e]s, ⁻e), *m.*, background.

hinü'ber, *adv.*, over, across; – sein, to be dead *or* gone.

hinü'bergehen (ging –, -gegangen), *intr.*, (s.), to go *or* walk over *or* across.

hinü'berschauen, *intr.*, to look over *or* across.

hinun'ter, *adv.*, down.

hinun'tersprechen (sprach –, -gesprochen), *tr.*, to speak, say *or* call down.

hinun'tersteigen (stieg –, -gestiegen), *intr.*, (s.), to descend.

hinun'terstürzen, *tr.*, to dash down, drink off; stürzte ein Glas feurigen Cortaillod hinunter, I tossed off a glass of fiery Cortaillod.

hinweg', *adv.*, away, off.

Hin'weis (-es, -e), *m.*, reference.

hin'weisen (wies –, -gewiesen), *intr.*, to refer, point (auf, to).

hin'werfen (warf –, -geworfen), *tr.*, to utter carelessly.

hin'ziehen (zog –, -gezogen), *refl.*, to be prolonged *or* protracted.

hoch, *adj.*, high; tall; eminent, distinguished, noble; *adv.*, high, highly; – ...! hurrah for ...!

Hoch'gebirge (-s, –), *n.*, high mountains; Alps.

hoch'geehrt, *part. adj.*, highly honored.

hoch'gelegen, *part. adj.*, elevated.

Hoch'land (-[e]s, -e *and* ⁻er), *n.*, highland.

hoch'mütig, *adj.*, haughty, proud.

höchst, *adj. and adv.*, highest; extremely.

Hoch'zeit (–, -en), *f.*, wedding.

Hoch'zeittag (-[e]s, -e), *m.*, wedding-day.

Hof (-[e]s, ⁻e), *m.*, yard; court; den – machen, to court, pay one's court to.

hof'fen, *tr. and intr.*, to hope, expect.

hof'fentlich, *adv.*, I hope.

Hof'leute, *pl.*, courtiers.

Höf'lichkeit (–, -en), *f.*, courteousness, courtesy, politeness.

Hof'linde (–, -n), *f.*, linden in the court.

Höf'ling (-[e]s, -e), *m.*, (*usually contemptuous*), courtier.

Hof′staat (-[e]s, -en), *m.*, royal *or* princely household.

Hof′tor (-[e]s, -e), *n.*, yard gate.

Höh′e (–, -n), *f.*, height; hill; elevation; in die –, up; in die – ziehen, to elevate.

Hohn (-[e]s), *m.*, scorn, sneer, mockery.

höh′nisch, *adv.*, scornfully, sneeringly.

hohn′lachen, *intr.*, to jeer, deride.

hold′selig, *adj.*, charming, lovely.

Hol′land (-s), *n.*, Holland.

Hol′länderin (–, -nen), *f.*, Dutch girl.

Höl′le, *f.*, hell.

Höl′lenausdruck (-[e]s, ̈e), *m.*, hellish, infernal *or* hideous expression.

Höl′lenstrafe (–, -n), *f.*, infernal punishment.

höl′lisch, *adj.*, hellish, infernal.

Holz′schnitt (-[e]s, -e), *m.*, wood cut.

Horaz′, *m.*, *see page* 68, *line* 1.

hör′bar, *adj.*, audible.

Hor′de (–, -n), *f.*, horde; gang.

hö′ren, *tr.*, to hear.

Horn (-[e]s, ̈er), *n.*, horn.

hu, *interj.*, ugh!

hub, *see* heben.

hübsch, *adj.*, pretty, comely.

Hü′gel (-s, –), *m.*, hill.

Hü′gellinie (–, -n), *f.*, line of hills.

Hugenott′[e] (*probably a corruption of the German* Eidgenossen, *confederates*) (-en, -en), *m.*, Huguenot.

Hugenot′tentracht, *f.*, Huguenot garb.

hugenot′tisch, *adj.*, Huguenot, of Huguenots.

Hund (-[e]s, -e), *m.*, dog; scoundrel.

hun′dert, *num.*, hundred.

hüp′fen, *intr.*, (s.), to hop, skip.

I

ich, *pers. pron.*, I.

Idee′ (–, -[e]n), *f.*, idea.

ihm (*dat. of* er), to him.

ihn (*acc. of* er), him, it.

ihr, *poss. adj.*, her, its, their; *pron.*, you.

Ihr, *pers. pron. and poss. adj.*, you; your.

ih′rer (*gen. of* sie), of her, of it, of them.

im = in dem.

im′mer, *adv.*, always, ever; noch –, still; – *with comparatives is translated:* more and more; was ... –, whatever.

immerdar′, *adv.*, forever.

immerhin′, *adv.*, at all events.

in, *prep.* (*with dat. or acc.*), in, into; over.

In′brunst, *f.*, fervor.

in′brünstig, *adv.*, ardently, fervently.

indem′, *conj.*, when, as; in that, by; – er fragte, by asking.

indes′, *conj.*, while.

indes′sen, *adv.*, meanwhile; *conj.* = indem.

infol′ge, *prep.* (*with gen.*), in consequence of.

in′ne, *adv.*, – haben, to possess, occupy, hold.

in′ner, *adj.*, interior, internal.

In′nere (-n), *n.*, inside, interior; heart, soul.

in′nerst, *adj.*, inmost, innermost.

In'nigkeit, *f.*, cordiality; intimacy.
ins = in das.
In'sel (–, -n), *f.*, island, isle.
insgeheim', *adv.*, privately, secretly.
Instanz', (–, -en), *f.*, resort, appeal.
instinktiv', *adj.*, instinctive.
Interes'se (-s, -en), *n.*, interest.
inzwisch'en, *adv.*, meanwhile.
ir'disch, *adj.*, earthly; temporal.
ir'ren, *refl.*, to be mistaken, be wrong.
Irr'tum (-[e]s, "er), *m.*, error.
Isle (*old French for* île), *f.*, isle, island.
Is'rael (-s), *m.*, Israel.
Ita'lien (-s), *n.*, Italy.
Italie'ner (-s, –), *m.*, Italian.

J

ja, *adv.*, yes; nay; to be sure; you know.
ja'gen, *intr.*, (s.), to rush, gallop.
Jahr (-[e]s, -e), *n.*, year.
Jahr'buch (-[e]s, "er), *n.*, *pl.*, annals.
jah'relang, *adv.*, for years.
Jahrhun'dert (-[e]s, -e), *n.*, century.
Jahrzehnt' (-[e[s, -e), *n.*, decade.
Jam'mer (-s), *n.*, distress, wretchedness.
jam'mern, *intr.*, to lament, wail, whine.
Jarnac, *see page* 30, *line* 4.
je, *adv.*, ever; von – her, from the most remote times, from the very beginning; je ... desto, the ... the.
Jeanne D'Albret, Jeanne D'Albret (1528—1572, queen of Navarre, mother of King Henry of Navarre and a noted supporter of the Huguenots. See Introduction page 10).
je'der, je'de, je'des, *adj.*, *and pron.*, every, each, all, any.
je'dermann (-s), *pron.*, everybody.
jedoch', *adv.*, yet, however, nevertheless.
jeher, *see* je.
je'mand (-[e]s), *pron.*, somebody.
je'ner, je'ne', je'nes, *adj. and pron.*, that, that one.
jetzt, *adv.*, now, at present.
Joch (-[e]s, -e), *n.*, yoke.
Jo'chem (-s) = Joachim, Joachim (*Bibl.* Jehoiachin).
Johan'nis (*gen. of* Johannes), of St. John, St. John's.
ju'beln, *intr.*, to shout, exult.
Ju'gend, *f.*, youth; von – auf, from my youth up.
ju'gendlich, *adj.*, youthful, young, juvenile.
jung (*comp.* jünger), *adj.*, young; early.
Jun'ge (-n, -n), *m.*, boy, lad; alter –! old boy!
Jüng'ling (-[e]s, -e), *m.*, young man, youth.

K

Kabinett' (-[e]s, -e), *n.*, cabinet, office.
kalt'blütig, *adj.*, cool, cool-headed; *adv.*, coolly, coldly.
Kamerad' (-en, -en), *m.*, comrade, companion.
Kam'mer (–, -n), *f.*, room, chamber; bedroom.
Kampf (-[e]s, "e), *m.*, combat, fight, conflict, struggle.

käm'pfen, *tr. and intr.*, to combat, fight; struggle.

Kampf'ſtelle (–, -n), *f.*, place for fighting.

Kan'ne (–, -n), *f.*, decanter, large cup.

Kan'zel (–, -n), *f.*, pulpit.

Kapel'le (–, -n), *f.*, chapel.

Kapi'tel (-s, –), *n.*, chapter.

Karl (-s), *m.*, Charles.

Kaſtell' (-[e]s, -e), *n.*, strong castle, stronghold, fort.

Kathari'na, *see page* 40, *line* 20, *foot-note*.

Katholik' (-en, -en), *m.*, Roman Catholic.

katho'liſch, *adj.*, Roman Catholic, Catholic.

Kat'zenbuckel (-s, –), *m.*, (humped back), cringing bow.

kaum, *adv.*, scarcely.

Kavalier' (*pronounce* v *as in English*) (-[e]s, -e), *m.*, cavalier, nobleman.

kavalier'mäßig, *adj.*, cavalierly, gentlemanly.

keck, *adj.*, bold, daring.

keh'ren, *tr.*, to turn.

kein (*declined as* ein), *adj.*, no, no one, not any, none, not a.

kein'mal, *adv.*, not once, never (*see* einmal).

ken'nen (kannte, gekannt), *tr.*, to know, be acquainted with; – lernen, to become acquainted with, get introduced to.

Ken'ner (-s, –), *m.*, connoisseur, judge.

Kennt'nis (–, ...ſſe), *f.*, knowledge.

Ker'ker (-s, –), *m.*, prison.

Ker'ze (–, -n), *f.*, candle.

Ket'zer (-s, –), *m.*, heretic.

Ketzerei' (–, -en), *f.*, heresy.

Kind (-[e]s, -er), *n.*, child.

kin'diſch, *adj.*, childish.

Kirch'berg (-s, -e), *m. and f.*, *surname*, Kirchberg.

Kir'che (–, -n), *f.*, church.

Kirch'gänger (-s, –), *m.*, church-goer.

kirch'lich, *adj.*, belonging to *or* relating to the church, ecclesiastical.

klam'mern, *refl.*, to cling to.

klar, *adj.*, clear, evident.

Klar'heit, *f.*, clearness.

Klau'ſel (–, -n), *f.*, clause.

Kleid (-[e]s, -er), *n.*, dress; *pl.*, clothes.

klei'den, *tr.*, to dress, clothe; *refl.*, to dress.

Klei'dung (–, -en), *f.*, clothing, dress.

klein, *adj.*, little, small; short; petty.

Klei'nigkeit (–, -en), *f.*, trifle.

Kling'e (–, -n), *f.*, blade, sword.

kling'en (klang, geklungen), *intr.*, to ring, sound.

klop'fen, *tr.*, to knock, rap.

Kloſ'ter (-s, ‥), *n.*, cloister, monastery.

Kluft (–, ‥e), *f.*, chasm, gulf.

klug (*comp.* klüger, *sup.* klügſt), *adj.*, sensible, clever, sharp.

Kna'be (-n, -n), *m.*, boy, lad.

kna'benhaft, *adj.*, boyish.

knal'len, *intr.*, to resound.

knar'ren, *intr.*, to creak.

knat'tern, *intr.*, to rattle.

Knie (-[e]s, –[e]), *n.*, knee.

kniſ'tern, *intr.*, to crackle.

Koch, *surname*. *English*, Cook.

Kof'fer (-s, –), *m.*, trunk.
Kommandant' (-en, -en), *m.*, commander.
kom'men (kam, gekommen), *intr.*, (f.), to come.
Kö'nig (-[e]s, -e), *m.*, king.
Kö'nigin (–, -nen), *f.*, queen.
kö'niglich, *adj.*, royal.
Kö'nigsschloß (...schlosses, ...schlösser), *n.*, royal palace.
kön'nen (konnte, gekonnt), *tr. and modal auxiliary*, to be able, can, may; könnte, might; wir – nichts dafür, we can't help it.
Konsequenz'(–,-en),*f.*,consequence.
Kontrakt' (-[e]s, -e), *m.*, deed.
Kopf (-[e]s, "e), *m.*, head, wits; ein genialer –, a man of genius *or* talent.
kopf'schütteln, *intr.*, to shake one's head.
Kör'perbau (-es, -e), *m.*, frame.
kost'bar, *adj.*, costly, precious.
kos'ten, *tr.*, to cost.
kra'chen, *intr.*, to crack, crash.
Kraft (–, "e), *f.*, strength, power; aus allen Kräften, with might and main.
kräf'tig, *adj.*, strong, powerful.
Kra'gen (-s, –), *m.*, collar.
kra'men, *intr.*; to rummage.
krampf'haft, *adj.*, convulsive.
krank, *adj.*, ill, sick.
Krank'heit (–, -en), *f.*, disease, sickness.
kränk'lich, *adj.*, sickly.
kreden'zen, *tr.*, to hand (a cup).
Kreuz (-es, -e), *n.*, cross.
kreu'zen, *tr.*, to cross.
krie'chen (kroch, gekrochen), *intr.*, to creep; cringe, fawn.
Krieg (-[e]s, -e), *m.*, war.
Krie'ger (-s, –), *m.*, warrior.
Kriegs'dienst (-[e]s, -e), *m.*, military service.
Kriegs'erklärung (–, -en), *f.*, declaration of war.
Kriegs'herr(-n,-en),*m.*,commander.
Kriegs'knecht (-[e]s,-e), *m.*, soldier, mercenary.
Kriegs'lust, *f.*, love of war.
Kriegs'mann (-[e]s, "er *or* -leute), *m.*, warrior, soldier.
Kriegs'ruf (-[e]s, -e), *m.*, war cry.
Kriegs'schule (–, -n), *f.*, school of war.
Kriegs'wissenschaft, *f.*, military science.
Kri'se (–, -n), *f.*, crisis.
krö'nen, *tr.*, to crown.
Kru'me (–, -n), *f.*, crumb.
Krüp'pel (-s, –), *m.*, cripple.
Kü'che (–, -n), *f.*, kitchen.
Ku'gel (–, -n), *f.*, ball, bullet.
Ku'gelregen (-s, –), *m.*, shower of bullets.
Kuh (–, "e), *f.*, cow.
kühl, *adj.*, cool, fresh.
kühn, *adj.*, bold, daring.
kum'mervoll, *adj.*, grievous.
Kunst (–,"e), *f.*, art, skill, dexterity.
kunst'gerecht, *adv.*, correctly.
Kup'ferstich (-[e]s,-e),*m.*,engraving, copper-plate.
Kur (–, -en), *f.*, cure.
kurz, *adj.*, short, brief; *adv.*, in short, briefly, shortly; – und gut, in a word.
Kuß (Kusses, Küsse), *m.*, kiss.
küs'sen, *tr.*, to kiss.

L

la'ben, *refl.*, to refresh one's self.
lä'cheln, *intr.*, to smile; appear pleasing *or* agreeable (*with dat.*).
Lä'cheln (-s, –), *n.*, smile.
la'chen, *intr.*, to laugh; da würde ihm das Herz im Leibe –, his heart would bound within him (for joy).
La'chen (-s, –), *n.*, laugh.
la'den (lud, geladen), *tr.*, to load; invite; auf das Gewissen –, to burden the conscience with.
La'ge (–, -n), *f.*, situation, position; condition.
La'ger (-s, –), *n.*, couch, bed.
läh'men, *tr.*, to lame, paralyze.
Laib (-[e]s, -e), *m. or n.*, loaf.
Lai'e (-n, -n), *m.*, layman.
Lam'pe (–, -n), *f.*, lamp.
Lam'penlicht (-[e]s), *n.*, lamplight.
Land (-[e]s, ⁻er *and* -e), *n.*, land; country.
làn'desflüchtig, *adj.*, fugitive.
lan'deskundig, *adj.*, notorious, known in the whole country.
Lan'desreligion (–, -en), *f.*, national religion.
länd'lich, *adj.*, rural.
Land'schaft (–, -en), *f.*, landscape.
Lands'mann (-[e]s, -leute), *m.*, countryman.
lang (*comp.* länger, *sup.* längst), *adj.*, long.
lang[e], *adv.*, long, for a long time.
lang'jährig, *adj.*, of many years.
lang'en, *tr.*, to reach.
längs, *prep.* (*with gen.*), along.
lang'sam, *adj.*, slow; *adv.*, slowly.
Lang'samkeit, *f.*, slowness, sluggishness.
längst, *adv.*, long ago.
lang'weilen, *tr.*, to tire, bore.
lang'wierig, *adj.*, wearisome, protracted.
Lan'zenknecht (-[e]s, -e), *m.*, spearman, lancer, common soldier armed with a spear *or* lance.
Lärm (-[e]s), *m.*, noise.
las'sen (ließ, gelassen), *tr.*, to let, allow, suffer; leave; cause; stop; laß mich! let me go!
las'ten, *intr.*, to weigh (upon, auf), press.
latei'nisch, *adj.*, Latin.
lau, *adj.*, mild, warm.
Lau'be (–, -n), *f.*, arbor.
lau'ern, *intr.*, to be spying *or* watching.
Lauf (-[e]s, ⁻e), *m.*, course, run.
Lauf'bahn (–, -en), *f.*, course, career.
lau'fen (lief, gelaufen), *intr.*, (s.), to run.
Lau'ne (–, -en), *f.*, humor, temper, mood.
Lauren'tiuskapelle, *f.*, *see page* 42, *line* 15.
Lauren'tiuskirche, *f.*, *the same as the preceding.*
lau'schen, *intr.*, to listen.
laut, *adj.*, loud.
läu'ten, *tr. and intr.*, to ring (a bell).
lau'ten, *intr.*, to run, read; – auf, to be made out for, be issued to.
lau'ter, *adj.*, pure, mere, nothing but; sincere.
Lau'terkeit, *f.*, purity.
laut'los, *adv.*, silently.
le'ben, *intr.*, to live, be alive; **lebt wohl!** good by! farewell!

Le'ben (-s, –), *n.*, life.
le'bend, *part. adj.*, living; alive.
Le'bensfaden (-s, "), *m.*, thread of life.
le'benslustig, *adj.*, cheerful, jolly.
Le'bensweise (–, -n), *f.*, mode of life.
Le'bensweisheit, *f.*, practical wisdom.
leb'haft, *adj.*, lively, brisk, animated; *adv.*, quickly, with animation.
Le'der (-s, –), *n.*, leather.
leer, *adj.*, empty, void; vacant; ins Leere starren, to gaze into space.
lee'ren, *tr.*, to empty.
le'gen, *tr.*, to lay, put, place; *refl.*, to be laid; an den Tag –, to manifest, evince.
Leh'ne (–, -n), *f.*, back (of a chair).
leh'nen, *tr. and intr.*, to lean.
Lehn'stuhl (-[e]s, "e), *m.*, armchair.
Leh're (–, -n), *f.*, doctrine; instruction.
Leh'rer (-s, –), *m.*, teacher, instructor.
Leib (-[e]s, -er), *m.*, body; waist.
Leib'gardist (-en, -en), *m.*, bodyguard.
Lei'che (–, -en), *f.*, (dead) body, corpse.
Leich'nam (-[e]s, -e), *m.*, corpse.
leicht, *adj.*, light; easy; slight; *adv.*, easily.
leicht'fertig, *adj.*, wonton, licentious.
leichthin', *adv.*, lightly, superficially.
Leicht'sinn (-[e]s), *m.*, levity, frivolity.
lei'den (litt, gelitten), *tr. and intr.*, to suffer; endure, tolerate.
Lei'denschaft (–, -en), *f.*, passion.
lei'denschaftlich, *adj.*, passionate.
Lei'denschaftlichkeit, *f.*, vehemence.
lei'der, *interj.*, alas! unfortunately.
lei'dig, *adj.*, unpleasant; distressing.
leid'lich, *adv.*, tolerably, moderately.
lei'se, *adj.*, low, soft; slow; *adv.*, softly; slowly; slightly, gently.
leis'ten, *tr.*, to do, perform; render.
ler'nen, *tr.*, to learn.
Ler'nende[r] (*part. used substantively, declined as adj.*), pupil, learner.
le'sen (las, gelesen), *tr. and intr.*, to read.
letzt, *adj.*, last.
leuch'ten, *intr.*, to shine; gleam, sparkle; light (a person).
leug'nen, *tr.*, to deny.
Leu'te, *pl.*, people, men.
leut'selig, *adj.*, affable.
licht, *adj.*, light, bright.
lich'ten, *refl.*, to become clear, clear up.
lieb, *adj.*, dear.
Lie'be, *f.*, love; charity.
Lie'be, *n.* (*declined as adj.*), kindness.
lie'ben, *tr.*, to love.
lie'benswürdig, *adj.*, amiable; kind.
lie'ber, *adv.*, rather, sooner.
Lieb'ling (-[e]s, -e), *m.*, favorite, pet.
lie'fern, *tr.*, to deliver.
lie'gen (lag, gelegen), *intr.*, to lie, be situated; es lag mir fern . . ., I was far from . . .; so viel an mir liegt, so far as it depends on me *or* lies with me; was liegt am Leben? of what consequence is life?
Lignerolles, *see page* 56, *line* 2.
Li'lie (–, -n), *f.*, lily. *See page* 26, *line* 11.

Lin'de (–, -n), *f.*, lime tree, linden.
Li'nie (–, -n), *f.*, line.
link, *adj.*, left.
Link'e (-n), *f.*, left hand.
links, *adv.*, to the left, on the left.
Lip'pe (–, -n), *f.*, lip.
lis'peln, *intr.*, to whisper.
litur'gisch, *adj.*, liturgical.
Lob (-[e]s), *n.*, praise.
lo'ben, *tr.*, to praise, commend.
lo'cken, *tr.*, to attract, entice, allure.
Lo'ckenkopf (-[e]s, ⁿe), *m.*, curly head.
lo'ckern, *tr.*, to loosen.
Lo'giker (-s, –), *m.*, logician.
lo'gisch, *adj.*, logical.
Los (-es, -e), *n.*, lot, fate.
los, *adj.*, free; rid of.
los'brechen (brach –, -gebrochen), *intr.*, (s.), to burst out, break forth.
lö'sen, *tr.*, to redeem.
los'lassen (ließ –, -gelassen), *tr.*, to let go.
los'reißen (riß –, -gerissen), *refl.*, to tear one's self away.
Lö'sung (–, -en), *f.*, solution.
Lo'thringen (-s), *n.*, Lorraine.
lo'thringisch, *adj.*, Lothringian, Lorrainese.
Louvre, *n.*, *see page* 37, *line* 10.
Lü'cke (–, -n), *f.*, gap; deficiency.
Luft (–, ⁿe), *f.*, air; – schaffen, to give vent to; ... liegt in der –, ... is in the air.
luf'tig, *adj.*, airy.
Lug (-[e]s), *m.*, – und Trug, lying and fraud.
Lü'ge (–, -n), *f.*, lie, falsehood.
Lum'pen (-s, –), *m.*, rag.
lus'tig, *adj.*, gay, merry, cheerful; *adv.*, merrily.

M

ma'chen, *tr.*, to make; bring it about (that, etc.); sich auf den Weg –, to set out.
Macht (–, ⁿe), *f.*, power.
mäch'tig, *adj.*, powerful, strong; large; – sein (*with gen.*), to be able to manage.
Mäd'chen (-s, –), *n.*, girl, maid, lass.
Mä'del (-s, –), *n.*, *familiar for* Mädchen.
Madon'na (*Italian*) (–, ... nen), *f.*, Madonna, the Holy Virgin.
ma'ger, *adj.*, thin; slender.
Mahl (-[e]s, -e, *and* ⁿer), *n.*, meal, repast.
mah'nen, *tr.*, to remind, admonish.
Mai (-[e]s, -e, *and* -en), *m.*, May.
Ma'jestät (–, -en), *f.*, majesty.
Ma'kel (-s, –), *m.*, spot; blemish.
ma'kellos, *adj.*, spotless, faultless.
Mal (-[e]s, -e), *n.*, time; mit einem -e, all at once.
ma'len, *tr.*, to draw.
Malerei' (–, -en), *f.*, painting.
man, *indef. pron.*, they, people, one.
man'cher, man'che, man'ches, *adj. and pron.*, many a, many; *pl.*, several.
mang'eln, *intr.*, to lack.
Mann (-[e]s, ⁿer), *m.*, man.
Männ'chen (-s, –), *n.*, little man, manikin.
Man'nesbegriff (-[e]s, -e), *m.*, idea, notion *or* conception of a man.
man'nigfach, *adj.*, manifold, various.
Man'tel (-s, ⁿ), *m.*, mantle, cloak.
Man'telsack (-[e]s, ⁿe), *m.*, portmanteau, valise.

Mari'endienst (-es), *m.*, worship of the Virgin.
markten, *intr.*, to cheapen, haggle, be difficult in a bargain.
Mar'mortisch (-es, -e), *m.*, marble table.
Mär'tyrer (-s, –), *m.*, martyr.
März (-[e]s, –[e]), *m.*, March.
Ma'sche (–, -n), *f.*, mesh.
Maschi'ne (–, -n), *f.*, machine.
Maß (-es, -e), *n.*, measure.
Mathematik', *f.*, mathematics.
Mau'er (–, -n), *f.*, wall.
Mau'erlampe (–, -n), *f.*, lamp on the wall, wall lamp.
Mau'erseite, *f.*, wall side, side next to the wall.
Medail'le (*pronounce:* Medal'je) (–, -n), *f.*, medal, medallion.
Medaillon (*pronounce as in French*) (-s, -s), *n.*, medallion, medal.
Medice'erin, *f.*, Catharine de Medici. *See page* 40, *line* 20, *foot-note.*
Meer (-[e]s, -e), *n.*, sea, ocean.
mehr, *adj. and adv.*, more, longer.
mein, mei'ne, mein, *poss. adj.*, my.
mei'nen, *tr.*, to mean, think; remark.
mei'ner, *pers. pron.* (*gen. of* ich), of me.
mei'netwillen, *adv.*, for my sake.
mei'nige (der, die, das –), *poss. pron.*, mine; die Meinigen, my family, my people *or* my friends.
Mei'nung (–, -en), *f.*, opinion.
Meis'ter (-s, –), *m.*, master.
meis'tern, *tr.*, to master; surpass.
mel'den, *tr.*, to announce; inform (a person of).
Melun, *see page* 26, *line* 7.
Mem'me (–, -n), *f.*, coward.
Memoran'dum (-s, -a *or* -en), *n.*, memorandum (summary of the state of a question).
Meng'e (–, -n), *f.*, crowd.
Mensch (-en, -en), *m.*, man, human being, person.
Mensch'heit, *f.*, human race, mankind, humanity.
mensch'lich, *adj.*, human; humane.
mer'ken, *tr.*, to perceive.
merk'würdig, *adj.*, remarkable; curious.
Mes'se (–, -n), *f.*, mass.
mes'sen (maß, gemessen), *tr.*, to measure.
metho'disch, *adj.*, methodical.
meu'cheln, *tr.*, to assassinate.
meuch'lerisch, *adv.*, treacherously, murderously.
Meu'te (–, -n), *f.*, pack.
mich (*acc. of* ich), me.
Mi'chael Serve'tus, *see* Servet.
Mie'ne (–, -n), *f.*, mien, air, countenance; *pl.*, features.
Mie'nenspiel (-[e]s), *n.*, play of feature.
Milch'messe (–, -n), *f.*, milk fair *or* festival (?).
mild, *adv.*, mildly, softly.
Min'derheit (–, -en), *f.*, minority.
Minu'te (–, -n), *f.*, minute.
mir (*dat. of* ich), to me.
mi'schen, *refl.*, to meddle (with), mingle (with).
Mi'schung (–, -en), *f.*, mixture.
Miß'achtung, *f.*, disregard, disdain.
Miß'brauch (-[e]s, ″e), *m.*, abuse.
miß'brauchen (*or* mißbrau'chen), *tr.*, misuse.

Miß'geschick (-[e]s, -e), *n.*, mishap, misfortune.
mißhan'deln, *tr.*, to ill treat.
mißhö'ren, *tr.*, to hear wrong *or* amiss.
mißling'en (-lang, -lungen), *intr.*, (s.), to fail, miscarry.
miß'mutig, *adv.*, with displeasure, with ill-humor.
miß'tönig, *adj.*, dissonant, discordant.
miß'trauisch, *adv.*, suspiciously.
mit, *prep.* (*with dat.*), with; *adv.*, together with the rest, along with.
mit'bringen (brachte –, -gebracht), *tr.*, to bring (along with one).
Mit'bürger (-s, –), *m.*, fellow-citizen.
mit'büßen, *tr.*, to suffer for also.
mit'einander, *adv.*, together.
mit'reißen (riß –, -gerissen), *tr.*, to carry, drag *or* pull along with.
Mit'schuldige (*declined as adj.*), *f.*, accomplice.
Mit'tag (-[e]s, -e), *m.*, midday, noon.
Mit'tagsmahl (-[e]s, -e, *and* ¨er), *n.*, midday meal, dinner.
Mit'te, *f.*, middle.
mit'teilen, *tr.*, to communicate.
Mit'teilung (–, -en), *f.*, communication.
Mit'tel (-s, –), *n.*, means, expedient, way; remedy.
mit'telalterlich, *adj.*, mediæval.
mit'ten, *adv.*, in the middle (of); – in, into the midst of.
Mit'ternacht (–, ¨e), *f.*, midnight.
mitt'ler (*comp. of* mittel), *adj.*, middle, mean; in -en Jahren, middle-aged.
mö'gen (mochte, gemocht), *tr. and modal auxiliary*, ich mag, I may, I can, I like; mochte (*with inf.*), may have; möchte, should like, might.
mög'lich, *adj.*, possible.
Mög'lichkeit (–, -en), *f.*, possibility.
mög'lichst, *adv.*, as much as possible.
Mohr (-en, -en), *m.*, moor, negro; in der Schenke zum -en, at the Moor's inn, at the Moor. *Compare page* 26, *line* 11.
Möm'pelgard (-s), *n.*, *see page* 16, *foot-note.*
Mo'nat (-[e]s, -e), *m.*, month.
Moncontour, *see page* 30, *line* 4.
Mond (-[e]s, -e), *m.*, moon.
Mond'licht (-[e]s, -e), *n.*, moonlight.
Montaigne, *see page* 67, *line* 27.
Mord (-[e]s, -e), *m.*, murder.
mor'den, *tr.*, to murder.
Mör'der (-s, –), *m.*, murderer.
Mord'gebärde (–, -n), *f.*, murderous gesture.
Mord'ruf (-[e]s, -e), *m.*, cry of murder.
Mor'gen (-s, –), *m.*, morning; heute morgen, this morning.
mor'gen, *adv.*, to-morrow, the next day.
Mor'genfrühe, *f.*, early morning.
Mor'gensonne, *f.*, morning sun (light).
mor'genstill, *adj.*, quiet in the early morning.
mü'de, *adj.*, weary, tired.
Mü'he (–, -n), *f.*, trouble, pains.
müh'sam, *adv.*, with difficulty.
Münch'weiler, *see page* 13, *line* 4.
Mund (-[e]s, *pl.*, -e *or* ¨er, *rarely* ¨e), *m.*, mouth; reinen – halten,

to keep one's counsel, "keep mum".
Mün'ster (-s, –), *m.*, cathedral.
Mün'ze (–, -n), *f.*, coin; medal; medallion.
mur'meln, *tr. and intr.*, to murmur; mutter; grumble.
Mur'ten (-s), *n.*, Murten.
musika'lisch, *adj.*, musical.
Mu'ße, *f.*, leisure.
müs'sen (mußte, gemußt), *intr. and modal auxiliary*, to be obliged, be forced, have (to); ich muß, I must; mußte, had to.
mü'ßig, *adj.*, idle.
mus'tern, *tr.*, to examine; review, muster.
mu'tig, *adv.*, courageously.
Mut'ter (–, ⁼), *f.*, mother.
Mut'tergottes, *f.*, Blessed Virgin.
müt'terlich, *adj.*, maternal.

N

nach, *prep.* (*with dat.*) *and adv.*, after; for; according to; to, towards.
nach'ahmen, *tr.*, to imitate.
Nach'bar (-s *or* -n, -n), *m.*, neighbor.
Nach'barin (–, -nen), *f.*, neighbor.
Nach'barschaft (–, -en), *f.*, neighborhood.
nachdem', *conj.*, after.
nach'denken (dachte –, -gedacht), *intr.*, to reflect; think; consider.
nach'dringen (drang –, -gedrungen), *intr.*, (s.), to press after.
nach'geben (gab –, -gegeben), *intr.*, to yield.
nach'gehen (ging –, -gegangen), *intr.*, (s.), to follow.
nach'lässig, *adj.*, negligent.
Nach'richt (–, -en), *f.*, information, news; – geben, to inform, send word.
nach'schreien (schrie –, -geschrieen), *intr.* (*with dat.*), to shout after *or* behind.
nach'schreiten (schritt –, -geschritten), *intr.*, (s.), to walk *or* stride after.
nach'sinnen (sann –, -gesonnen), *intr.*, to muse, meditate (on).
nächst, *prep.* (*with dat.*), next to.
nächst (*sup. of* nah), *adj.*, next, nearest; der Nächste, neighbor.
näch'stens, *adv.*, soon, shortly.
Nach'stoß (-es, ⁼e), *m.*, counter-thrust.
nach'stürzen, *intr.*, (s.), to rush after.
Nacht (–, ⁼e), *f.*, night.
Nach'teil (-[e]s, -e), *m.*, disadvantage; injury.
Nacht'gestalt (–, -en), *f.*, shadowy form.
näch'tigen, *intr.*, to pass the night.
Nach'tisch (-[e]s, -e), *m.*, dessert.
nachts, *adv.*, in the night, at night.
Na'cken (-s, –), *m.*, neck.
na'h[e] (*comp.* näher, *sup.* nächst), *adj.*, near, close.
Nä'he, *f.*, proximity.
nä'hen, *tr.*, to sew, stitch.
nä'herschreiten (schritt –, -geschritten), *intr.*, (s.), to come *or* walk nearer *or* closer.
nä'hern, *refl.*, to draw near, approach; "make up to", make friends with (*with dat.*).
näh'ren, *tr.*, to nourish; cherish.
Na'me (-n[s], -n), *m.*, name.
Na'mensfest (-es, -e), *n.*, name-day; birthday. *See page* 73, *line* 7.

näm'lich, *adv.*, for.
Nancy, Nancy (a beautiful city, 220 m. east of Paris, once the capital of Lorraine).
Nation' (–, -en), *f.*, nation.
National'gefühl (-[e]s), *n.*, national feeling, patriotism.
Natur' (–, -en), *f.*, nature; disposition.
Naturell' (-[e]s, -e), *n.*, disposition.
natür'lich, *adj.*, natural; *adv.*, of course.
Natur'spiel (-[e]s, -e), *n.*, freak of nature.
Natur'wissenschaft (–, -en), *f.*, natural science.
Nava'rra (-s), *n.*, *see page* 66, *line* 5.
Navarre'se, *adj.*, Navarrese, *see page* 66, *line* 5.
ne'ben, *prep.* (*with dat. or acc.*), near, by, beside, next to, at the side of.
nebenan', *adv.*, next door.
ne'beneinander, *adv.*, side by side.
neh'men (nahm, genommen), *tr.*, to take; ein Ende –, to (come to an) end.
nei'disch, *adj.*, envious, jealous.
Nei'ge, *f.*, decline; end.
Nei'gung (–, -en), *f.*, affection.
nein, *adv.*, no.
nen'nen (nannte, genannt), *tr.*, to name, call, mention.
nen'nenswert, *adj.*, worthy of mentioning.
Nerv (-s *or* -en, *pl.* -en), *m.*, nerve.
Nest (-[e]s, -er), *n.*, nest.
Netz (-es, -e), *n.*, net.
neu, *adj.*, new, recent; was gibt es Neues? what is the news? von -em, anew, again.
Neu'enburg (-s), *n.*, Neuchâtel.
neu'enburgisch, *adj.*, of Neuchâtel (Neuenburg).
Neu'gierde, *f.*, curiosity.
neu'lich, *adv.*, recently; – noch, only the other day.
neunt, *num. adj.*, ninth.
nicht, *adv.*, not; doch –, certainly not.
Nich'te (–, -n), *f.*, niece.
nich'tig, *adj.*, null; vain, idle.
nichts, *indecl. pron.*, nothing, nought.
ni'cken, *intr.*, to nod.
nie, *adv.*, never.
nie'der, *adv.*, down; auf und –, up and down.
nie'dergeschlagen, *part. adj.*, dejected, downcast.
nie'derhangen (hing –, -gehangen), *intr.*, to hang down.
nie'derkämpfen, *tr.*, to subdue, overcome.
nie'derknieen, *intr.*, (s.), to kneel down.
Nie'derlage (–, -n), *f.*, defeat.
Nie'derlande, *n.*, *pl.*, The Netherlands.
Nie'derländer (-s, –), *m.*, = Holländer, Dutchman.
nie'derländisch, *adj.*, Dutch.
nie'derlassen (ließ –, -gelassen), *refl.*, to sit down; settle; kneel.
nie'derlegen, *tr.*, to lay *or* put down; *refl.*, to lie down.
nie'derschreiben (schrieb –, -geschrieben), *tr.*, to write down.
nie'derschreiten (schritt –, -geschritten), *intr.*, (s.), to walk down.
nie'dersinken (sank –, -gesunken), *intr.*, (s.), to sink *or* drop down.
nie'derstrecken, *tr.*, to knock down, fell.

nie′derwerfen (warf –, -geworfen), *tr.*, to throw down.
nie′mand (-es), *indef. pron.*, nobody.
Nîmes, *see page* 49, *line* 17.
nim′mer, *adv.*, never; by no means, nowise.
Ni′sche (–, -n), *f.*, niche, recess.
noch, *adv.*, still, yet; – ein, another; – einmal, once more; – immer, still; weder ... –, neither ... nor.
Not (–, ″e), *f.*, need; misery, distress; trouble.
No′tenheft (-[e]s, -e), *n.*, music (-book), sheet music.
nö′tig, *adj.*, necessary; – haben, to stand in need of, need.
Notredame, Notre Dame (the magnificent Gothic cathedral of Paris).
not′wendig, *adj.*, necessary; das Notwendige, what is necessary.
nüch′tern, *adj.*, sober; -en und verdrossenen Herzens (*adv. gen.*), with sober and unwilling heart.
Num′mer (–, -n), *f.*, number; auf eine – setzen, to stake upon one number (as in lottery).
nun, *adv.*, now, at present; well! *conj.*, therefore.
nur, *adv.*, only, but, solely.
nütz′lich, *adj.*, useful.

O

ob, *conj.*, whether; if; als –, as if; *prep. with gen.* (*rarely used*), on account of.
Ob′dach (-[e]s), *n.*, (shelter) lodging.
o′ben, *adv.*, above; at the upper end; von – bis unten, from top to bottom; nach –, upward.
o′berst, *adj.*, uppermost, top.
obwohl′, *conj.*, although, though.
o′der, *conj.*, or.
of′fen, *adj.*, open; vacant.
Of′fenbarung (–, -en), *f.*, revelation; – Johannis, the Revelation of St. John.
öf′fentlich, *adj.*, public.
öff′nen, *tr. and refl.*, to open.
oft(mals), *adv.*, often, frequently.
oh! *interj.*, oh, ah!
O′h(ei)m (-[e]s, -e), *m.*, uncle.
oh′ne, *prep.* (*with acc.*), without; – daß er es berührt hätte, without his having touched upon it.
ohnehin′, *adv.*, apart from this.
ohn′mächtig, *adj.*, fainting.
Ohr (-[e]s, -en), *n.*, ear; hearing.
Öl (-[e]s, -e), *n.*, oil.
Op′fer (-s, –), *n.*, victim.
Ora′nien (-s), *n.*, *see page* 50, *line* 24.
ord′nen, *tr.*, to arrange.
Ord′nung (–, -en), *f.*, order; in – sein, to be all right.
Or′der (–, -s), *f.*, order.
Or′leans, *n.*, Orleans (a noted city 65 miles south of Paris. It was a Huguenot center about 1563).
Öf′terreich (-s), *n.*, Austria.
O′zean (-[e]s, -e), *m.*, ocean.

P

paar, *indecl. indef. num.*, ein –, a few.
Pacifikations′edikt, *n.*, Edict of Pacification.
pa′cken, *tr.*, to pack up; seize, lay hold of.
Palast′ (-[e]s, ″e), *m.*, palace.
Panigarola, *see page* 42, *line* 17.

panzern, *tr.*, to provide with armor, protect with armor.
Papa' (-s, -s), *m.*, papa.
Papier' (-[e]s, -e), *n.*, paper.
Papis'mus, *m.*, popery.
Papist' (-en, -en), *m.*, papist.
Papst'tum (-s), *n.*, papacy, popery.
Para'de (–, -n), *f.*, parade, guard.
parie'ren, *tr.*, to parry, ward off.
Paris', *n.*, Paris.
Pari'ser (-s, –), *m.*, Parisian.
Parlament'rat (-[e]s, ⸚e), *m.*, parliamentary counsellor. *See page* 27, *line* 13.
Partei' (–, -en), *f.*, party, side.
Partei'genosse (-n, -n), *m.*, partisan.
Paß (-sses, ⸚sse), *m.*, passport.
pas'send, *part. adj.*, suitable; convenient.
passie'ren, *tr.*, to pass, go through.
Pa'te (-n, -n), *m.*, godfather.
Pa'ter (*Latin*) (-s, –[s] *or* Patres), *m.*, father.
Pau'se (–, -n), *f.*, pause.
Pech'fackel (–, -n), *f.*, (pitch-)torch.
pei'nigen, *tr.*, to torment, torture.
pein'lich, *adj.*, painful.
Pèlerin (*French*), *m.*, pilgrim.
Perigord, Périgord (an old province of southwestern France).
per'len, *intr.*, to sparkle.
Person' (–, -en), *f.*, person.
persön'lich, *adj.*, personal; *adv.*, personally.
Persön'lichkeit (–, -en), *f.*, person.
Pfaf'fe (-n, -n), *m.* (*usually with contemptuous meaning*), priest.
Pfar'rer (-s, –), *m.*, clergyman, minister, parson.
Pferd (-[e]s, -e), *n.*, horse.
Pflas'ter (-s, –), *n.*, pavement.
pfle'gen, *intr.*, to be accustomed, be used (to).
Pfle'ger (-s, –), *m.*, curator; guardian.
Pfle'gevater (-s, ⸚), *m.*, foster father.
Pflicht (–, -en), *f.*, duty.
pflicht'schuldig, *adj.*, in duty bound.
Pfört'chen (-s, –), *n.*, small door.
Pfor'te (–, -n), *f.*, gate, door.
Pfört'ner (-s, –), *m.*, porter, doorkeeper, usher.
Pfos'te (–, -n), *f.*, stake.
Pfuhl (-[e]s, -e), *m. or n.*, (pool), pit *or* sink of corruption.
pfui! *interj.*, fie! shame!
Pfyf'fer, *see page* 54, *line* 5.
Phleg'ma (Ph = f) (-s), *n.*, sluggishness.
Picardie, *f.*, Picardy (an ancient province in the northern part of France.)
Pil'gerschuh (-[e]s, -e), *m.*, pilgrim's shoe.
Pistol' (-[e]s, -e), *n.*, pistol.
Plaff'eyer, *adj. See page* 29, *line* 17.
Plan (-[e]s, -e *or* ⸚e), *m.*, plan.
Platz (-es, ⸚e), *m.*, place; space; public place, square; seat; – nehmen, to take a seat.
plau'dern, *intr.*, to chat.
plötz'lich, *adj.*, sudden; *adv.*, suddenly, all at once.
Pö'bel (-s), *m.*, mob, rabble.
po'chen, *intr.*, to throb, beat.
poli'tisch, *adj.*, political.
Post (–, -en), *f.*, post.
Pos'ten (-s, –), *m.*, place, position.
präch'tig, *adj.*, magnificent, splendid.
pre'digen, *tr.*, to preach.
Pre'digt (–, -en), *f.*, sermon.

Preis (-es, -e), *m.*, price, cost; um jeden –, at all cost.
Preis'erniedrigung, *f.*, reduction of price.
prei'sen, *tr.*, to praise.
preis'geben (gab –, -gegeben), *tr.*, to expose.
pres'sen, *tr.*, to depress; mit gepreßter Stimme, with difficulty, with an effort, with a choking voice.
Prinz (-en, -en), *m.*, prince.
Privile'gium (-s, ...gien), *n.*, privilege.
Pro'be (–, -n), *f.*, test; proof; specimen.
Protestant' (-en, -en), *m.*, Protestant.
prü'fen, *tr.*, to test.
Ptolemä'us, *see page* 41, *line* 18.
Pu'del (-s, –), *m.*, poodle.
Pul'verfaß (-sses, ⁻sser), *n.*, powder barrel.
Punkt (-[e]s, -e), *m.*, point; particular.
pünkt'lich, *adj.*, punctual.
put'zen, *tr.*, to clean, polish.

Q

quä'len, *tr.*, to torment, vex.
Quar'te (–, -n), *f.*, quarte *or* carte (in fencing, a thrust from the right upon the left side of the opponent); zeigte –, fenced in quarte.
quer, *adv.*, across.

R

raf'fen, *tr.*, to gather.
Rand (-[e]s, ⁻er), *m.*, edge, brink, verge.
rasch, *adj.*, speedy, swift; *adv.*, quickly, swiftly.
ra'scheln, *intr.*, to rustle.
ra'sen, *intr.*, to rage.
rast'los, *adv.*, restlessly.
Rast'tag (-[e]s, -e), *m.*, day of rest.
Rat (-[e]s, ⁻e), *m.*, counsel, advice; council, senate; counsellor; remedy, expedient; – halten, to take counsel, consult.
ra'ten (riet, geraten), *tr. and intr.*, to counsel, advise.
rät'lich, *adj.*, advisable.
Rät'sel (-s, –), *n.*, riddle; enigma; mystery.
rät'selhaft, *adj.*, enigmatical, mysterious.
Rau'fer (-s, –), *m.*, bully.
rauh, *adj.*, rough; hoarse; harsh.
Raum (-[e]s, ⁻e), *m.*, room, space, place; opportunity; – geben, to give way.
rau'nen, *tr. and intr.*, to whisper.
Rebell' (-en, -en), *m.*, rebel.
Rebellion', *f.*, rebellion.
Rech'enschaft (–, -en), *f.*, account.
rech'nen, *tr.*, to count, reckon; sich zur Ehre –, to deem it an honor; – zu, to class with.
Rech'nung (–, -en), *f.*, reckoning, computation.
recht, *adj.*, right; fitting; correct, proper; – haben, to be right.
Recht (-[e]s, -e), *n.*, right; claim; – an mich, right over me.
Rech'te (–, -n), *f.*, right hand.
recht'gläubig, *adj.*, orthodox.
rechts, *adv.*, on the right (hand); – von mir, to the right of me.
recht'schaffen, *adj.*, righteous, honest; *adv.*, uprightly.

Rechts'handel (-s, ¨), *m.*, lawsuit.
recht'zeitig, *adj.*, well-timed; *adv.*, in good time; gerade noch –, still just in good time.
Re'de (–, -n), *f.*, speech; oration, harangue, talk; rumor; zur – ſtellen, to call to account; question, take to task; davon kann nicht die – ſein, that is quite out of the question.
re'den, *tr. and intr.*, to speak, talk.
red'lich, *adj.*, honest.
Red'ner (-s, –), *m.*, orator, speaker.
red'neriſch, *adj.*, oratorical, rhetorical.
re'geln, *tr.*, to arrange, settle, fix.
Re'gen (-s, –), *m.*, rain.
Regiment' (-[e]s, -er), *n.*, government, power.
reg'nen, *intr.*, to rain.
re'gungslos, *adj.*, motionless.
reich, *adj.*, rich.
rei'chen, *tr.*, to reach; offer, hand.
reich'lich, *adj.*, abundant.
Rei'he (–, -n), *f.*, line; rank; series.
rein, *adj.*, pure; -en Mund halten, to keep a secret, "keep mum"; ins Reine ſchreiben, to make a fair *or* clean copy.
Rei'ſe (–, -n), *f.*, journey.
Rei'ſegeſpräch (-[e]s, -e), *n.*, travel talk.
Rei'ſende[r] (*pres. part. used substantively, declined as adj.*), *m.*, traveller.
Rei'ſepapier (*usually in the plural*), (-[e]s, -e), *n.*, pass, passport.
Rei'ſepiſtol (-[e]s, -e), *n.*, pocket-pistol.
Rei'ſeplan (-[e]s, ¨e), *m.*, plan of travel.
Rei'ſewams (-es, ¨er), *n.*, traveling jacket.
rei'ßen (riß, geriſſen), to tear; draw, pull, sweep.
rei'ten (ritt, geritten), *tr. and intr.*, to ride, go on horseback.
Rei'ter (-s, –), *m.*, rider, horseman.
Reiterei' (–, -en), *f.*, cavalry.
Rei'teroffizier (-[e]s, -e), *m.*, cavalry officer.
Rei'terpiſtol (-[e]s, -e), *n.*, horseman's pistol, horse pistol.
Reit'kleid (-[e]s, -er), *n.*, riding-habit.
Reit'knecht (-[e]s, -e), *m.*, groom.
rei'zend, *part. adj.*, charming.
Religion' (–, -en), *f.*, religion.
Religions'friede[n] (-ns), *m.*, peace by which religious differences are settled.
Religions'geſpräch (-[e]s, -e), *n.*, religious conversation.
Religions'haß (...haſſes), *m.*, religious hatred.
Religions'übung (–, -en), *f.*, religious practice *or* worship.
religiös', *adj.*, religious.
Reli'quie (–, -n), *f.*, relic.
Renat' (*Christian name from Latin* Renatus), *m. French* René.
ren'nen (rannte, gerannt), *tr.*, to run.
Republik' (–, -en), *f.*, republic.
Reſpekt' (-[e]s), *m.*, respect, regard.
reſpekt'widrig, *adj.*, disrespectful.
ret'ten, *tr.*, to save, rescue, preserve.
Ret'tung (–, -en), *f.*, rescue, saving, salvation; escape.
reu'en, *tr. and impers.*, to regret, repent.
Rheto'rik, *f.*, rhetoric.
rich'ten, *tr.*, to direct; address

(to, an); sich in die Höhe –, to raise one's self up; *refl.*, to be addressed.
Rich'ter (-s, –), *m.*, judge.
rich'tig, *adj.*, right, correct; *adv.*, rightly, correctly.
Rie'gel (-s, –), *m.*, bar, bolt; den – vorschieben, to bolt.
Ring (-[e]s, -e), *m.*, ring.
ring'en (rang, gerungen), *intr.*, to struggle; contend.
Ring'en (-s), *n.*, struggle.
rin'nen (rann, geronnen), *intr.*, (s.), to run, flow.
Rit'ter (-s, –), *m.*, knight.
rit'terlich, *adj.*, knightly.
ritt'lings, *adv.*, astride.
rö'cheln, *intr.*, to rattle in the throat.
roh, *adj.*, raw, crude; rude.
Rol'le (–, -n), *f.*, roll.
Roß (Ros'ses, Ros'se), *n.*, horse.
rot, *adj.*, red.
Rot, *indecl.*, *n.*, (red color) blush[es].
Rö'te, *f.*, redness; flush.
Rot'te (–, -n), *f.*, gang.
ruch'bar, *adj.*, rumored.
ruch'los, *adj.*, wicked, iniquitous.
rü'cken, *tr.*, to move, push.
Rü'ckenlehne (–, -n), *f.*, back of a chair.
Rück'schlag (-[e]s, ⁿe), *m.*, reaction.
Ruf (-[e]s, -e), *m.*, call; cry; reputation.
ru'fen (rief, gerufen), *tr. and intr.*, to call, cry.
Ru'he, *f.*, rest, repose; quiet; in – lassen, to let alone.
ru'helos, *adj.*, without rest *or* peace.
ru'hen, *intr.*, to rest.
ru'hig, *adj.*, quiet, tranquil; calm; *adv.*, quietly, calmly.
Ruhm (-[e]s), *m.*, fame, glory, renown.
rüh'ren, *tr.*, to move, touch.
Rüh'rung (–, -en), *f.*, emotion.
rund, *adj.*, round; fat.
run'zeln, *tr.*, to wrinkle; die Stirn –, to knit one's brows.
Ru'te (–, -n), *f.*, rod, switch.
Rüt'li, *n.*, *see page* 25, *line* 2.
rüt'teln, *intr.*, to shake.

S

Sa'che (–, -n), *f.*, thing, matter; affair, business; cause; case.
sa'gen, *tr.*, to say, tell.
sam'meln, *tr.*, to collect.
Sarg (-[e]s, ⁿe), *m.*, coffin.
Sa'tan (-s), *m.*, Satan.
Sat'tel (-s, ⁿ), *m.*, saddle.
sat'teln, *tr.*, to saddle.
Satz (-es, ⁿe), *m.*, proposition; tenet; sentence; position; principle.
Säum'nis (–, ... sse, *or* *n.*, ... sses, ... sse), *f.*, delay.
Sce'ne (*pronounce* Sze'ne) (–, -n), *f.*, scene.
schä'big, *adj.*, shabby.
Schach (-s), *m.*, check.
Schadau, *m.*, *surname*, Schadau.
Schä'del (-s, –), *m.*, skull.
schaf'fen (schuf, geschaffen), *tr.*, to afford, procure; *intr.*, to do; sich zu – machen, to busy one's self; zu – haben, to be concerned in.
schalk'haft, *adj.*, roguish.
Scham, *f.*, shame.
Schar (–, -en), *f.*, troop, band.
scharf, *adj.*, sharp, keen; piercing; *adv.*, sharply; piercingly; – geladen, loaded with a bullet.

scharf'sinnig, *adj.*, sagacious, shrewd.
Schat'ten (-s, –), *m.*, shade, shadow.
Schatz (-es, ⁼e), *m.*, treasure; store.
Schätz'chen (-s, –), *n.*, sweetheart.
Schau'der (-s, –), *m.*,' (shudder), horror.
schau'dern, *intr.*, to shudder, shiver (at, vor); shrink.
schau'en, *intr.*, to gaze, look.
Schau'er (-s, –), *m.*, tremor, thrill; awe.
Schau'spiel (-[e]s, -e), *n.*, spectacle, sight.
schei'den (schied, geschieden), *intr.*, (f.), to depart, leave.
Schein (-[e]s, -e), *m.*, shine; light; dim light; glimmer.
schei'nen (schien, geschienen), *intr.*, to seem, appear.
Schei'terhaufe[n] (-ns, -n), *m.*, stake.
schel'ten (schalt, gescholten), *tr.* and *intr.*, to scold; rebuke; abuse (as).
Schen'ke (–, -n), *f.*, inn, tavern.
schen'ken, *tr.*, to pour out; make a present of, grant, give.
Schenk'mädchen (-s, –), *n.*, barmaid.
Scherz (-es, -e), *m.*, joke, pleasantry.
scher'zen, *intr.*, to jest, joke.
scher'zend (*pres. part. used adv.*), jokingly.
scherz'haft, *adj.*, jocose, playful.
scheuß'lich, *adj.*, frightful, hideous, abominable.
schi'cken, *tr.*, to send.
Schick'sal (-[e]s, -e), *n.*, fate; destiny.
schie'ben (schob, geschoben), *tr.*, to shove, push.
schie'ßen (schoß, geschossen), *tr.* and *intr.*, (to shoot); die Zügel – lassen, to let go the reins.
schil'dern, *tr.*, to paint, describe.
Schimpf (-[e]s, -e), *m.*, affront, insult.
Schimpf'wort (-[e]s, *pl.*, ⁼er *and* -e), *n.*, term of abuse.
schin'den (schund, geschunden), *tr.*, to flay.
Schlacht'feld (-[e]s, -er), *n.*, field of battle.
Schlaf (-[e]s), *m.*, sleep.
Schlä'fe (–, -n), *f.*, temple.
schla'fen (schlief, geschlafen), *intr.*, to sleep.
Schla'fengehen (-s), *n.*, going to bed, retiring.
schlaff, *adj.*, (slack) indolent.
schläf'rig, *adj.*, sleepy.
Schlag (-[e]s, ⁼e), *m.*, stroke.
schla'gen (schlug, geschlagen), *tr.*, to beat; knock; strike; throw; *refl.*, to fight; make one's way.
Schlang'e (–, -n), *f.*, snake, serpent.
schlank, *adj.*, slender; die Schlanke, the slender girl.
schlecht, *adj.*, bad.
Schlei'er (-s, –), *m.*, veil.
schleu'nig, *adv.*, quickly.
schlicht, *adj.*, plain.
schlie'ßen (schloß, geschlossen), *tr.* and *intr.*, to shut, close; conclude.
schlimm (*comp.* -er, worse; *sup.* -st, worst), *adj.*, bad, evil; sad, sinister; das Schlimmste, that which is most evil.
Schling'e (–, -n), *f.*, sling.
Schloß (-sses, ⁼sser), *n.*, lock; castle; palace; manor house.
schlot'tern, *intr.*, to shake.
schluch'zen, *intr.*, to sob.
schlum'mern, *intr.*, to slumber, doze.
Schlum'mern (-s), *n.*, slumber, dozing.

schlür'fen, *tr.*, to sip.
Schluß (-sses, "sse), *m.*, conclusion; inference.
Schlüs'sel (-s, –), *m.*, key.
schmäh'lich, *adj.*, ignominious.
schmal, *adj.*, narrow; slender.
Schmeichelei' (–, -en), *f.*, flattery.
Schmerz' (-es, -en), *m.*, pain; grief.
schmer'zen, *tr.*, to hurt.
schmerz'lich, *adj.*, painful; *adv.*, painfully.
schmie'den, *tr.*, to beat, hammer; plan, concoct.
schmie'rig, *adj.*, dirty; foul.
schmut'zig, *adj.*, dirty.
schnau'ben (*sometimes irregular:* schnob, geschnoben), *intr.*, to snort.
schnee'weiß, *adj.*, snow-white.
schnei'den (schnitt, geschnitten), *tr.*, to cut, carve.
Schnei'der (-s, –), *m.*, tailor.
schnell, *adj.*, quick, fast; *adv.*, quickly, fast.
schnel'len, *tr.*, to let fly, toss.
Schnitt (-[e]s, -e), *m.*, cut; pattern, make.
schnit'zen, *tr.*, to carve.
Schnur (–, "e), *f.*, string, cord.
schon, *adv.*, already; even; indeed; certainly.
schön, *adj.*, fine, beautiful; *adv.*, finely, beautifully.
schöp'fen, *tr.*, to draw; obtain, get.
Schrank (-[e]s, "e), *m.*, chest of drawers.
Schrank'e (–, -n), *f.*, bound, limit.
Schre'cken (-s, –), *m.*, fright, terror.
schreck'lich, *adj.*, dreadful, terrible.
schrei'ben (schrieb, geschrieben), *tr.*, to write.
Schrei'ben (-s, –), *n.*, letter; writing.
Schrei'ber (-s, –), *m.*, clerk.
Schreib'tisch (-es, -e), *m.*, writing table.
schrei'en (schrie, geschrieen), *tr. and intr.*, to cry, scream, call out.
schrei'ten (schritt, geschritten), *intr.*, (s.), to stride, step; walk; proceed.
Schrift (–, -en), *f.*, writing; paper.
schrift'lich, *adv.*, in writing.
Schritt (-[e]s, -e), *m.*, step, pace.
Schub'fach (-[e]s, "er), *n.*, drawer.
Schub'lade (–, -n), *f.*, drawer.
schüch'tern, *adj.*, shy, bashful.
Schuft (-[e]s, -e), *m.*, scoundrel.
Schuld (–, -en), *f.*, guilt, fault.
schul'den, *tr.*, to owe.
schul'dig, *adj.*, guilty; indebted, owing; – sein, to owe.
Schu'le (–, -n), *f.*, school.
schu'len, *tr.*, to school; train.
Schul'ter (–, -n), *f.*, shoulder.
Schult'heiß (-en, -en), *m.*, mayor.
Schur'ke (-n, -n), *m.*, rogue, rascal, villain.
schur'kisch, *adj.*, knavish, rascally.
Schuß (-sses, "sse), *m.*, shot.
schüt'teln, *tr.*, to shake; einem die Hand –, to shake hands with one.
Schutz (-es), *m.*, protection; in – nehmen, to take under one's protection.
schüt'zen, *tr.*, to protect, guard, shelter.
schutz'los, *adj.*, defenseless, unprotected.
Schwä'bin (–, -nen), *f.*, Swabian woman.
schwach, *adj.*, weak, feeble, infirm.
Schwä'che (–, -n), *f.*, weakness; infirmity.

Schwach'heit (–, -en), *f.*, weakness, frailty.

Schwa'ger (-s, ⁼), *m.*, brother-in-law.

schwank'en, *intr.*, to stagger; fluctuate; vacillate.

schwarz, *adj.*, black.

schwat'zen, *intr.*, to chatter, talk idly.

schwe'ben, *intr.*, (to hover, float), in Gefahr –, to be in danger.

schwei'gen (schwieg, geschwiegen), *intr.*, to be silent, hold one's tongue.

Schwei'gen (-s), *n.*, silence.

schwei'gend, *part. adj.*, voiceless, silent.

Schweiß'tüchlein (-s, –), *n.*, handkerchief.

Schweiz, *f.*, Switzerland.

Schwei'zer (-s, –), *m.*, Swiss, *see page* 29, *line* 16; das, –? (you say) those (are) Swiss?

Schwei'zerboden (-s), *m.*, Swiss soil.

Schwei'zergarde, *f.*, Swiss guard. *See page* 29, *line* 16.

Schwei'zergrenze (–, -n), *f.*, Swiss border.

Schwei'zername (-n[s],-n), *m.*, Swiss name, name of a Swiss.

Schwei'zersitte (–, -n), *f.*, Swiss custom.

schwenk'en, *tr.*, to swing.

schwer, *adj.*, heavy, weighty; difficult, hard, severe; grave; grievous; *adv.*, grievously.

schwer'lich, *adv.*, hardly, scarcely.

Schwer'punkt (-[e]s, -e), *m.*, center of gravity.

Schwert (-[e]s, -er), *n.*, sword.

Schwes'ter (–, -n), *f.*, sister.

Schwes'terchen (-s, –), *n.*, little sister.

Schwes'tersohn (-[e]s, ⁼e), *m.*, nephew.

Schwie'gersohn (-[e]s, ⁼e), *m.*, son-in-law.

schwing'en (schwang, geschwungen), *tr. and intr.*, to swing; sich aufs Pferd –, to vault into the saddle.

sechst, *num. adj.*, sixth.

See (-[e]s, -[e]n), *m.*, lake.

See'le (–, -n), *f.*, soul; mind; auf der – liegen, to weigh upon the mind.

Se'gen (-s, –), *m.*, benediction, blessing.

seg'nen, *tr.*, to bless.

se'hen (sah, gesehen), *tr.*, to see.

Se'hergabe, *f.*, gift of prophecy.

sehr, *adv.*, very, much.

sei'den, *adj.*, silk[en].

Sei'denschnur (–, ⁼e), *f.*, silk string.

Sei'fe (–, -n), *f.*, soap.

sein (war, gewesen), (s.), to be; *also auxiliary of intransitive verbs of movement, etc.*; das wäre nun in Ordnung, I hope that is now settled.

sein, sei'ne, sein, *poss. adj. and pron.*, his, its.

Seine, *f.*, the (river) Seine.

sei'nerzeit, *adv.*, in due time; at that time.

sei'nig, *poss. pron.* (*declined as adj.*), his; die Seinigen, his family.

seit, *prep.* (*with dat.*), *and conj.*, since.

Sei'te (–, -n), *f.*, side.

Sei'tengasse (–, -n), *f.*, side alley.

Sei'tengäßchen (-s, –), *n.*, little side alley.

Sei'tenlehne (–, -n), *f.*, arm (of a chair).

Sei'tentür (–, -en), *f.*, side door.

Sekundant' (-en, -en), *m.*, second (in a duel).

Sekun'de (–,-n), *f.*, seconde (a thrust, parry or other movement downward toward the left), stieß –, fenced in seconde.

sekundie'ren, *tr.*, to act as second for (one).

selban'der, *adv.*, together with another.

sel'ber, *indecl. pron.* = selbst, self, himself, itself, etc.

selbst, *indecl. pron.*, self, myself, etc.; *adv.*, even.

selbst'bewußt, *adj.*, conscious.

selb'ständig, *adj.*, independent.

selbst'süchtig, *adj.*, selfish, self-seeking.

Selbst'verleugnung (–, -en), *f.*, self-denial.

se'lig, *adj.*, deceased, late.

Se'ligkeit, *f.*, blessedness; salvation.

sel'ten, *adv.*, seldom, rarely.

selt'sam, *adj.*, singular, strange, odd; *adv.*, singularly, strangely, oddly.

sen'den (sandte, gesandt), *tr.*, to send.

sen'ken, *tr.*, to sink; bow.

Servedo, *Spanish for* Servet.

Servet', *see page* 30, *line* 20.

Ses'sel (-s, –), *m.*, chair.

set'zen, *tr.*, to set, put, place; *refl.*, to sit.

seuf'zen, *intr.*, to sigh.

Seuf'zer (-s, –), *m.*, sigh.

sich, *reflex. pron.*, *dat. or acc.*, oneself, himself, itself, etc.

si'cher, *adj.*, sure, certain; secure, safe.

Si'cherheit (–, -en), *f.*, security, safety.

si'chern, *tr.*, to secure.

sicht'bar, *adj.*, visible.

sicht'lich, *adj.*, perceptible, visible; *adv.*, visibly, evidently.

sie, *pers. pron.*, she, her; it; they, them.

sie'ben, *num.*, seven.

sie'bent, *num. adj.*, seventh.

sieb'zehnt, *num. adj.*, seventeenth.

sie'benundfünfzig, *num.*, fifty-seven.

Sieg (-[e]s, -e), *m.*, victory.

Sie'gel (-s, –), *n.*, seal.

sie'geln, *tr.*, to seal.

Sie'gesgewißheit, *f.*, certainty of victory.

sieh[e], *interj.*, see! behold! – da! behold!

Sil'be (–, -n), *f.*, syllable.

Sil'ber (-s), *n.*, silver.

Sil'bermünze (–, -n), *f.*, silver coin *or* medal (Das Amulett).

sil'bern, *adj.*, (of) silver.

sin'ken (sank, gesunken), *intr.*, (s.), to sink; fall.

Sinn (-[e]s, -e), *m.*, sense; mind; feeling; von -en sein, to be out of one's senses.

sin'nen (sann, gesonnen), *intr.*, to meditate, reflect, muse.

sinn'los, *adj.*, senseless.

Sire (*French*), sire; sir.

Sit'te (–,-n), *f.*, custom; *pl.*, manners.

Sitz (-es, -e), *m.*, seat; residence; chair.

sit'zen (saß, gesessen), *intr.*, to sit; auf sich – lassen, to put up with, pocket.

Sit'zung (–, -en), *f.*, session.

Skla've (-n, -n), *m.*, slave.

so, *adv.*, so, thus; then; however; *subord. conj.*, **sobald**, as soon as; **so kurz**, as short as; **so viel**, as much as; **soweit**, as far as.
sobald', *see* **so**.
sogar', *adv.*, even.
sogleich', *adv.*, immediately, directly.
Sohn (-[e]s, ⁻e), *m.*, son.
sol'cher, sol'che, sol'ches, *pron. and adj.*, such.
Soldat' (-en, -en), *m.*, soldier.
Solda'tenkind (-[e]s, -er), *n.*, soldier's child.
Solda'tentod (-[e]s), *m.*, soldier's death.
sol'len (**sollte, gesollt**), *intr. and modal auxiliary*, to be obliged to, have to; be; be said; **sollte**, ought, should; may, might; can, could.
Som'mernacht (–, ⁻e), *f.*, summer night.
son'der, *prep.* (*with acc.*), without.
son'derbar, *adj.*, strange, singular, odd.
son'derbarerweise, *adv.*, strangely, singularly.
son'derlich (*archaic* = **einzeln**), *adj.*, especial, particular; *adv.*, exceedingly.
son'dern, *tr.*, to separate; *conj.*, but.
Son'ne (–, -n), *f.*, sun.
Son'nenlicht (-[e]s), *n.*, sunlight.
sonst, *adv.*, else, otherwise; besides; formerly, heretofore; at other times; in other respects.
Sor'ge (–, -n), *f.*, care; **sich – machen um**, to be concerned about.
sor'gen, *intr.*, to take care, – **für**, to look for; find.
sorg'fältig, *adv.*, carefully.
Sor'te (–, -n), *f.*, sort, kind.
soweit', *see* **so**.
Spä'her (-s, –), *m.*, spy.
spal'ten, *tr.*, to split.
Spa'nien (-s), *n.*, Spain.
Spa'nier (-s, –), *m.*, Spaniard.
spa'nisch, *adj.*, Spanish.
Span'nung, *f.*, (tension), close attention.
spär'lich, *adv.*, sparingly, scantily.
spät, *adv.*, late.
spen'den, *tr.*, to bestow.
sper'ren, *tr.*, to lock up, throw into.
Spezerei'händler (-s, –), *m.*, grocer.
Spie'gel (-s, –), *m.*, mirror.
spie'geln, *refl.*, to be reflected.
Spiel (-[e]s, -e), *n.*, play; game; **auf dem -e stehen**, to be at stake; **gewonnen –!** the game is won!
spie'len, *tr. and intr.*, to play.
spie'lend, *part. adj.*, playing; *adv.*, easily, in play.
spitz, *adv.*, sharply.
Spit'ze (–, -n), *f.*, point; top; **an der – stehen**, to be at the head of.
Spott (-[e]s), *m.*, derision, ridicule, scorn.
spot'ten, *intr.*, to mock, deride.
spöt'tisch, *adj.*, satirical, ironical, scornful; *adv.*, satirically, ironically, scornfully.
Spra'che (–, -n), *f.*, language.
spre'chen (**sprach, gesprochen**), *tr. and intr.*, to speak; say; pronounce; talk.
spreng'en, *tr. and intr.*, to burst open; gallop.
spring'en (**sprang, gesprungen**), *intr.*, (**s.** *and* **h.**), to spring, leap.
spru'deln, *intr.*, to bubble.
sprü'hen, *intr.*, to sparkle *or* flash forth.

Sprung (-[e]s, ¨e), *m.*, spring, leap, bound.

St. (= Sankt), Saint.

St. Germain, *see page* 19, *line* 10.

St. Honoré, *see page* 37, *line* 2.

St. Louis, *see page* 36, *line* 27.

St. Mi'chaelsorden, *see page* 67, *line* 19.

St. Michel, pont St. Michel (one of the famous bridges over the Seine in Paris).

St. Pau'li, *see page* 32, *line* 27, *foot-note.*

St. Pe'tri, *see page* 32, *line* 27, *foot-note.*

St. Quentin, *see page* 15, *line* 25.

Staat (-[e]s, -en), *m.*, state.

Staats'geschäft (-[e]s, -e), *n.*, affair of state.

Staats'mann (-[e]s, ¨er), *m.*, statesman.

Stadt (–, ¨e), *f.*, town, city.

Stadt'bote (-n, -n), *m.*, city messenger *or* courier, summoner.

Städt'chen (-s, –), *n.*, small town.

städt'isch, *adj.*, municipal.

Stadt'klatsch (-es), *m.*, town gossip.

Stadt'mauer (–, -n), *f.*, city wall.

Stadt'teil (-[e]s, -e), *m.*, (town) quarter, section of the city.

Stahl'klinge (–, -n), *f.*, steel blade, sword.

Stall'junge (-n, -n), *m.*, stableboy.

Stall'knecht (-[e]s, -e), *m.*, stable help *or* man, groom.

Stall'meister (-s, –), *m.*, master of the horse, equerry.

Stamm (-[e]s, ¨e), *m.*, (stem), family.

Stamm'baum (-[e]s, ¨e), *m.*, family tree.

Stand (-[e]s, ¨e), *m.*, stand, station; position, rank; profession; class; einen harten – haben, to be in a difficult position.

stand'haft, *adj.*, firm, steadfast; constant.

Stand'punkt (-[e]s, -e), *m.*, point of view.

stark, *adj.*, strong.

stär'ken, *tr.*, to strengthen.

starr, *adv.*, fixedly; – ansehen, to stare at.

star'ren, *intr.*, to stare.

Starr'sinn (-[e]s), *m.*, stubbornness.

Stä'tigkeit, *f.*, stability, constancy.

statt, *prep.* (*with gen.*), instead of.

Stät'te (–, -n), *f.*, place, spot.

statt'lich, *adj.*, stately, magnificent.

Statuet'te (–, -n), *f.*, statuette.

Staub (-[e]s), *m.*, dust.

Stau'nen (-s), *n.*, astonishment.

ste'chen (stach, gestochen), *tr.*, to pierce.

ste'cken (*usually regular; the imperfect is* steckte *or* stak), *intr.*, to stick, be fixed; *tr.* (*regular*), to stick; fix; put; zu sich –, to put in one's pocket.

ste'hen (stand, gestanden), (*obsolete pret. subjunctive* stünde), (h., *or* s. in South Germany), *intr.*, to stand; be; – bleiben, to stop, pause; wie steht es damit, how is it getting along, how is it; – zu, to side with.

steif, *adj.*, stiff.

stei'gen (stieg, gestiegen), *intr.*, (s.), to mount, ascend, climb, rise; increase; prance, rear.

stei'gend, *part. adj.*, rising, increasing.

stei'gern, *refl.*, to increase.

Stein'bank (–, ⁻e), *f.*, stone bench.
stei'nern, *adj.*, (of) stone.
Stein'frau (–, -en), *f.*, woman of stone, a caryatid (the figure of a woman acting as a column or pillar).
Stein'werk (-[e]s), *n.*, masonry.
Stel'le (–, -n), *f.*, place, spot; situation, position; office; passage.
stel'len, *tr.*, to place, set, station.
Stel'lung (–, -en), *f.*, position.
ster'ben (starb, gestorben), *intr.*, (s.), to die.
Ster'ben (-s), *n.*, death.
Ster'beseufzer (-s, –), *m.*, death moan *or* groan.
Stern (-[e]s, -e), *m.*, star.
Ste'tigkeit, *f.*, stability.
Stich (-[e]s, -e), *m.*, im – lassen, to leave in the lurch.
stie'ben (stob, gestoben), *intr.*, (s.), to fly about.
still, *adj.*, still, silent, quiet.
Stil'le, *f.*, (stillness), silence; in der –, quietly.
still'schweigend, *pres.part. used adv.*, silently.
Stim'me (–, -n), *f.*, voice.
Stim'mung (–, -en), *f.*, (tune), disposition, humor; general feeling, opinion.
Stirn (–, -en), *f.*, forehead.
Stock'werk (-[e]s, -e), *n.*, story, floor.
stöh'nen, *intr.*, to groan.
stolz, *adj.*, proud.
stö'ren, *tr.*, to disturb, trouble.
stör'risch, *adj.*, stubborn, refractory.
Stoß (-es, ⁻e), *m.*, thrust, push; knock, blow.
sto'ßen (stieß, gestoßen), *tr.*, to thrust, push; kick, knock.
Stoß'klinge (–, -n), *f.*, (thrusting-blade), rapier.
Stoß'seufzer (-s, –), *m.*, pious ejaculation.
Straf'gericht (-[e]s, -e), *n.*, judgment.
strah'len, *tr. and intr.*, to beam, shine.
Stra'ße (–, -n), *f.*, road; street.
sträu'ben, *refl.*, to struggle, resist.
Streich (-[e]s, -e), *m.*, stroke, blow; coup.
streng[e], *adj.*, severe; *adv.*, strictly, severely.
strö'men, *intr.*, (s.), to stream, flow; pour.
Strö'mung (–, -en), *f.*, current; drift; tide.
Stu'be (–, -n), *f.*, room.
Stück (-[e]s, -e), *n.*, piece, bit; aus freien -en, of one's own accord.
Stück'lein (-s, –), *n.*, trick.
Student' (-en, -en), *m.*, student.
Studier'zimmer (-s, –), *n.*, study.
Stuhl (-[e]s, ⁻e), *m.*, chair.
stumm, *adj.*, mute, silent.
stumpf, *adj.*, dull.
Stun'de (–, -n), *f.*, hour; von Stund an, from this very hour.
stün'de, *see* stehen.
Stünd'lein (-s, –), *n.*, last hour.
Sturm (-[e]s, ⁻e), *m.*, storm; tempest; – läuten, to ring the alarm.
stür'men, *intr.*, (s.), to rush.
Sturm'glocke (–, -n), *f.*, alarm bell.
stür'zen, *tr.*, to plunge, precipitate; *intr.*, (s.), to fall, tumble down; rush.
Stutt'gart (-s), *n.*, Stuttgart (capital of Württemberg, Germany).
Stüt'ze (–, -n), *f.*, stay, support.

stüt'zen, *tr.*, to prop, support; *refl.*, to lean on (auf).
su'chen, *tr.*, to seek, look for; endeavor, try.
Su'chen (-s), *n.*, search.
Süd'franzose (-n, -n), *m.*, Frenchman from the south of France.
süd'lich, *adj.*, southern, southerly.
Sum'me (–, -n), *f.*, sum; sum total.
Sün'de (–, -n), *f.*, sin; trespass.
Sünd'haftigkeit, *f.*, sinfulness.
Sup'pe (–, -n), *f.*, soup.

T

Ta'fel (–, -n), *f.*, (dining-)table.
Tag (-[e]s, -e), *m.*, day; in diesen -en, recently; *see* legen.
Ta'gesanbruch (-[e]s), *m.*, daybreak.
tag'hell, *adj.*, light as day; *adv.*, brilliantly.
täg'lich, *adj.*, daily.
Tanz (-es, ‥e), *m.*, dance.
Tape'te (–, -n), *f.*, tapestry, hangings.
tap'fer, *adj.*, brave, valiant.
Tap'ferkeit, *f.*, valor, bravery.
Ta'sche (–, -n), *f.*, pocket.
Ta'schenbuch (-[e]s, ‥er), *n.*, notebook.
tas'ten, *tr. and intr.*, to grope, feel, touch.
Tat (–, -en), *f.*, deed, act.
Tä'ter (-s, –), *m.*, doer, perpetrator.
Tau'genichts (*gen.*, ...tses, *otherwise indecl. in the sing.*, *pl.*, -e), *m.*, good-for-nothing fellow; scamp.
tau'schen, *tr.*, to exchange.
täu'schen, *refl.*, to be deceived.
tau'send, *num.*, thousand.
Teil (-[e]s, -e), *m.*, part; – nehmen an, to take part in, join in; zum großen –, in a large measure, mainly.
tei'len, *tr.*, to share.
Teil'nahme, *f.*, interest, sympathy.
teil'nehmen (nahm –, -genommen), *intr.*, to participate in (an).
Teligny, *see page* 62, *foot-note.*
Tel'ler (-s, –), *m.*, plate.
Tem'po (*Italian*) (-s, -s *or* ...pi), *n.*, time; movement.
teu'er, *adj.*, dear; expensive; beloved.
Teu'fel (-s, –), *m.*, devil.
Teu'felin (–, -nen), *f.*, (female) devil, she-devil.
Teu'felsnacht (–, ‥e), *f.*, devilish night.
Theolog' (-en, -en), *m.*, theologian.
Theologie' (–, -[e]n), *f.*, theology.
theolo'gisch, *adj.*, theological.
theore'tisch, *adj.*, theoretical.
Theorie' (–, -[e]n), *f.*, theory.
thü'ringisch, *adj.*, Thuringian.
tief, *adj.*, deep; low; *adv.*, deeply, profoundly; low.
tief'ernst, *adj.*, very grave, solemn.
Tier (-[e]s, -e), *n.*, animal, beast.
Tisch (-es, -e), *m.*, table.
Ti'tel (-s, –), *m.*, title.
Tobi'ä, *see page* 68, *line* 11.
Toch'ter (–, ‥), *f.*, daughter.
Tod (-[e]s), *m.*, death.
To'desschlummer (-s), *m.*, sleep of death.
To'desstoß (-es, ‥e), *m.*, death blow.
To'desstunde, *f.*, hour of death.
To'desurteil (-[e]s, -e), *n.*, sentence of death.
Tod'feind (-[e]s, -e), *m.*, mortal enemy.

töd'lich, *adj.*, mortal, deadly; *adv.*, mortally.
Ton (-[e]s, ⁻e), *m.*, sound, tone; accent.
Tor (-[e]s, -e), *n.*, gate.
Tor'weg (-[e]s, -e), *m.*, gateway.
tot, *adj.*, dead.
tö'ten, *tr.*, to kill.
to'tenblaß, *adj.*, deadly pale.
to'tenstill, *adj.*, silent as the grave.
To'tenstille, *f.*, silence of death.
Tö'tung (–, -en), *f.*, killing.
tra'ben, *intr.*, (s.), to trot.
Tracht (–, -en), *f.*, costume, garb.
trä'ge, *adj.*, lazy, inert, indolent.
tra'gen (trug, getragen), *tr.*, to bear; carry; wear.
Trä'ne (–, -n), *f.*, tear.
Trä'nenstrom (-[e]s, ⁻e), *m.*, stream of tears.
Transport' (-[e]s, -e), *m.*, transport, conveyance.
trau'en, *tr.*, to marry, join in wedlock; *intr.*, to trust.
Trau'ergewand (-[e]s, -e *or* ⁻er), *n.*, mourning.
trau'rig, *adj.*, mournful, sad.
tref'fen (traf, getroffen), *tr.*, to hit, strike; meet.
treff'lich, *adj.*, excellent; *adv.*, excellently.
trei'ben (trieb, getrieben), *tr.*, to drive; urge, impel; carry on; chase (metal).
tren'nen, *tr.*, to separate; *refl.*, to part.
Trep'pe (–, -n), *f.*, staircase, stairs.
tre'ten (trat, getreten), *intr.*, (s.), to step, walk, go.
treu, *adj.*, faithful, true.
treu'herzig, *adv.*, frankly.
trif'tig, *adj.*, cogent.
Trin'ken (-s), *n.*, drinking.
triumphie'ren, *intr.*, to triumph.
Trop'fen (-s, –), *m.*, drop.
Trophä'e (–, -n), *f.*, trophy.
trös'ten, *tr.*, to comfort.
trotz, *prep.* (*with gen. or dat.*), in spite of.
trot'zig, *adj.*, defiant.
trü'ben, *refl.*, to become clouded.
trüb'selig, *adj.*, woeful, doleful.
Trug (-[e]s), *m.*, deceit, fraud.
Tru'he (–, -n), *f.*, chest, trunk.
Trunk (-[e]s, ⁻e), *m.*, drink, draught.
Trun'kenbold (-[e]s, -e), *m.*, drunkard.
Tü'cke (–, -n), *f.*, mischievous trick.
tü'ckisch, *adj.*, malicious.
Tu'gend (–, -en), *f.*, virtue.
tu'gendhaft, *adj.*, virtuous.
tun (tat, getan), *tr. and intr.*, to do, make, perform.
Tür[e] (–, -en), *f.*, door.
Turm (-[e]s, ⁻e), *m.*, tower.
Türm'chen (-s, –), *n.*, turret.
Turm'spitze (–, -n), *f.*, spire.
Turm'uhr (–, -en), *f.*, tower clock.
Turm'zimmer (-s, –), *n.*, room in a tower.

U

ü'bel, *adj.*, evil, bad; *adv.*, ill, badly.
ü'belnehmen (nahm –, -genommen), *tr.*, to feel hurt.
Ü'beltäter (-s, –), *m.*, malefactor, criminal.
ü'ben, *refl.*, to exercise, practise; school *or* train one's self.
ü'ber, *prep.* (*with dat. or acc.*), over, above; about; at.

überbring'en (-brachte, -bracht), *tr.*, to deliver, bring.
überbrü'cken, *tr.*, to bridge, bridge over.
überdies', *adv.*, besides.
übereinan'der, *adv.*, one upon another.
überfal'len (-fiel, -fallen), *tr.*, to surprise, attack suddenly.
überge'ben (-gab, -geben), *tr.*, to hand over.
überge'hen (-ging, -gangen), *tr.*, to pass over, omit.
übergie'ßen (-goß, -gossen), *tr.*, (to pour over), übergossen, suffused.
überhaupt', *adv.*, in general; at all.
überhö'ren, *tr.*, to fail to catch *or* hear.
überlas'sen (-ließ, -lassen), *tr.*, to give up, give over, surrender.
ü'berlaufen (lief –, -gelaufen), *intr.*, (s.), to run over; *see* Galle.
überle'gen, *tr.*, to reflect upon, consider.
Überle'gen (-s), *n.*, reflection, consideration.
überle'gen, *adj.*, superior.
überlie'fern, *tr.*, to deliver.
überman'nen, *tr.*, to overpower.
ü'bermütig, *adj.*, arrogant, insolent; die Übermütige, the arrogant *or* insolent girl.
überra'schen, *tr.*, to surprise.
Überra'schung (–, -en), *f.*, surprise.
überre'den, *tr.*, to persuade.
überschau'en, *tr.*, to overlook.
überschrei'ben (-schrieb, -schrieben), *tr.*, to direct, address.
überschrei'ten (-schritt, -schritten), *tr.*, to exceed; go beyond, cross.
überschweng'lich, *adj.*, gushing.
überset'zen, *tr.*, to translate.
übersin'nen (-sann, -sonnen), *tr.*, to think over.
Ü'bertritt (-[e]s, -e), *m.*, going over; conversion.
überwach'sen (-wuchs, -wachsen), *tr.*, to overgrow.
ü'berwerfen (warf –, -geworfen), *tr.*, to throw over; slip on.
überwin'den (-wand, -wunden), *tr.*, to overcome; *refl.*, to overcome one's passion *or* reluctance.
überzeu'gen, *tr.*, to convince, persuade.
Überzeu'gung (–, -en), *f.*, conviction.
üb'lich, *adj.*, usual, customary.
ü'brig, *adj.*, (remaining, left); im -en, for the rest, as for the rest.
ü'brigens, *adv.*, for the rest, besides.
Ü'bungsklinge (–, -n), *f.*, (practice-) foil.
Ul'rich (von Württemberg), *see page* 16, *foot-note.*
um, *prep.* (*with acc.*), about, round; at; by; for; concerning; after; – (*gen.*) willen, for the sake of; – aller Heiligen willen, in the name of all the saints; *conj.*, – zu (*with infin.*), in order to.
umar'men, *tr.*, to embrace, hug.
Umar'mung (–, -en), *f.*, embrace.
um'bringen (brachte –, -gebracht), *tr.*, to kill.
um'drehen, *refl.*, to turn round.
Um'gang (-[e]s), *m.*, intercourse; associates.
umge'ben (-gab, -geben), *tr.*, to surround.
Umge'bung, *f.*, company.

um'gürten, *tr.*, to buckle on (a sword).
umhal'sen, *tr.*, to hug, embrace.
um'kehren, *refl.*, to turn round.
um'kleiden, *refl.*, to change one's clothes.
Um'kreis (-es, -e), *m.*, circle.
ums = um das.
umschling'en (-schlang, -schlungen), *tr.*, to embrace, clasp.
umschwär'men, *tr.*, to swarm around.
Um'stand (-[e]s, ⁼e), *m.*, circumstance.
um'stehen (stand –, -gestanden), *intr.*, to stand around.
umstel'len, *tr.*, to surround, beset.
um'stoßen (stieß –, -gestoßen), *tr.*, to knock down, upset.
um'treiben (trieb –, -getrieben), *refl.*, to wander about.
um'wenden (wandte –, -gewandt; *also regular*), *refl.*, to turn around.
Un'ähnlichkeit (–, -en), *f.*, dissimilarity.
un'angefochten, *part. adj.*, (anfechten), unmolested.
un'angenehm, *adj.*, disagreeable.
un'ansehnlich, *adj.*, homely, plain.
unauslösch'lich, *adv.*, indelibly.
un'bedeutend, *part, adj.*, insignificant.
un'befangen, *adv.*, naturally, without embarrassment.
unbegreif'lich, *adj.*, incomprehensible.
un'bekannt, *part. adj.*, unknown.
unbemerkt', *part. adj.*, unnoticed, unobserved.
unbere'chenbar, *adj.*, incalculable.
unberührt', *part. adj.*, untouched.
und, *conj.*, and.
un'edel, *adj.*, ignoble.
un'ehrlich, *adj.*, dishonest.
un'eingedenk, *adj.*, unmindful.
un'empfindlich, *adj.*, insensible; indifferent (to, für).
un'empfohlen, *part. adj.*, (empfehlen), without recommendation, unrecommended.
unend'lich, *adj.*, endless, infinite; *adv.*, infinitely.
unentbehr'lich, *adj.*, indispensable.
unerhört', *part. adj.*, unheard of.
unerklär'lich, *adj.*, inexplicable, unaccountable.
un'eröffnet, *part. adj.*, unopened.
unerträg'lich, *adv.*, intolerably.
unerwar'tet, *part. adj.*, unexpected.
Un'fall (-[e]s, ⁼e), *m.*, mischance, mishap.
unfaß'bar, *adj.*, incomprehensible, inconceivable.
un'fern, *adv.*, not far off.
un'förmlich, *adj.*, ill-shaped.
un'freundlich, *adv.*, in an unfriendly manner.
un'geduldig, *adj.*, impatient.
un'gefähr, *adv.*, about, nearly, approximately.
un'gehalten, *part. adj.*, angry, indignant.
un'geheuer, *adj.*, prodigious, huge; dreadful.
un'gelegen, *adj.*, inconvenient, inopportune.
ungele'sen, *part.*, unread.
un'geliebt, *part. adj.*, unloved.
un'gemischt, *part. adj.*, unmixed.
ungerächt', *part. adj.*, unavenged.
un'gern, *adv.*, unwillingly; bitter –, most reluctantly.

un′geschickt, *adj.*, awkward, clumsy.
ungeseg′net, *part. adj.*, unblessed.
ungestört′, *part. adj.*, undisturbed.
un′gewöhnlich, *adj.*, unusual, uncommon.
un′gezügelt, *part. adj.*, unbridled, unrestrained.
Un′gläubige[r] (*declined as adj.*), *m.*, unbeliever.
unglaub′lich, *adj.*, incredible; *adv.*, incredibly.
un′gleichartig, *adj.*, heterogeneous.
un′glücklich, *adj.*, unhappy, unfortunate.
unheil′bar, *adj.*, incurable.
un′heimlich, *adj.*, uncomfortable, weird, unearthly, dismal, horrid; suspicious.
un′höflich, *adj.*, uncivil, rude; *adv.*, rudely.
Un′höflichkeit, *f.*, rudeness, impoliteness.
un′klar, *adj.*, (not clear), irresolute.
un′lauter, *adj.*, impure; ignoble.
unlös′bar, *adj.*, insolvable.
un′männlich, *adj.*, unmanly, effeminate.
un′mäßig, *adv.*, immoderately, excessively.
unmög′lich, *adj.*, impossible; *adv.*, not possibly.
un′mutig, *adj.*, ill-humored.
un′natürlich, *adj.*, unnatural.
un′nütz, *adj.* useless.
un′ordentlich, *adj.*, disorderly, in disorder, untidy.
Un′ordnung, *f.*, disorder, confusion.
un′recht, *adj.*, wrong.
Un′recht (-[e]s, -e), *n.*, wrong, injustice.
Un′reife, *f.*, immaturity.
un′ruhig, *adj.*, restless; uneasy.
uns, (*dat. of* wir), to us, us, for us.
unsag′bar, *adj.*, unspeakable, unutterable.
un′scheinbar, *adj. and adv.*, plain(ly).
un′schön, *adj.*, plain, homely.
un′schuldig, *adj.*, innocent.
un′schuldigerweise, *adv.*, innocently.
un′selig, *adj.*, unfortunate, miserable; Unseliger! wretch!
un′ser, *poss. adj. and pron.*, our, ours.
un′ser, *pers. pron.* (*gen. of* wir), of us.
un′sicher, *adj.*, (unsafe), uncertain.
Un′sinn (-[e]s), *m.*, nonsense.
Un′sitte, *f.*, bad habit; immorality.
unsträf′lich, *adj.*, irreprehensible.
Un′tat (–, -en), *f.*, wicked deed, crime.
un′ten, *adv.*, below.
un′ter, *prep.* (*with dat. or acc.*), under; beneath; among, amid; during; – einander, mutually, reciprocally, each other.
un′ter, *adj.*, lower.
unterbre′chen (-brach, -brochen), *tr.*, to interrupt.
unterdes′sen, *adv.*, meanwhile, in the mean time.
Unterdrü′cker (-s, –), *m.*, oppressor.
Un′tergang (-[e]s), *m.*, ruin, destruction.
unterhal′ten (-hielt, -halten), *refl.*, to enjoy one's self.
unterlas′sen (-ließ, -lassen), *tr.*, to omit (to do), neglect.
unterneh′men (-nahm, -nommen), *tr.*, to undertake.
Un′terpfand (-[e]s, ″er), *n.*, pledge.
Un′terricht (-[e]s), *m.*, instruction, teaching.

unterrich'ten, *tr.*, to instruct, teach; inform.
untersa'gen, *tr.*, to forbid, prohibit.
Un'terschied (-[e]s, -e), *m.*, difference.
untersu'chen, *tr.*, to search; examine, investigate.
Un'tertan (-[e]s *or* -en, -en), *m.*, subject.
unterwegs', *adv.*, on the way.
unterwei'sen (-wies, -wiesen), *tr.*, to instruct, teach.
unterzeich'nen, *tr.*, to sign.
Un'tat (–, -en), *f.*, crime.
untrenn'bar, *adj.*, inseparable.
unverbes'serlich, *adj.*, incorrigible; irreclaimable.
unvergleich'lich, *adj.*, incomparable, matchless.
unverletzt', *part. adj.*, (uninjured), unbroken, entire.
unvermit'telt, *adv.*, abruptly.
un'verschämt, *adj.*, impudent, insolent.
un'verschuldet, *part. adj.*, undeserved, unmerited.
unverse'hens, *adv.*, unexpectedly.
unverwandt', *adv.*, unceasingly, steadily.
unverzüg'lich, *adv.*, without delay, immediately.
unwiderste h'lich, *adj.*, irresistible.
un'willig, *adj. and adv.*, indignant(ly), vexed(ly).
un'willkommen, *adv.*, unacceptably, inopportunely.
unwillkür'lich, *adj. and adv.*, involuntary; involuntarily.
un'wirsch, *adv.*, peevishly, crossly.
un'würdig, *adj.*, unworthy; undeserving.
Un'ziemlichkeit (–, -en), *f.*, indecency, unseemly *or* improper behavior, unseemliness.
unzwei'felhaft, *adv.*, without doubt.
Ur'kunde (–, -n), *f.*, document.
Ur'laub (-[e]s), *m.*, leave of absence; furlough.
Ur'ne (–, -n), *f.*, urn.
ursprüng'lich, *adj.*, original.
Ur'teil (-[e]s, -e), *n.*, judgment; sentence; einem das – sprechen, to pass sentence on one.

V

Va'ter (-s, ̈), *m.*, father, *pl.*, ancestors.
Vä'terchen (-s, –), *n.*, father dear.
Va'terland (-[e]s, ...länder, *and* ...lande), *n.*, native country.
Va'terlandsliebe, *f.*, patriotism.
vä'terlich, *adj.*, fatherly; paternal.
Va'terstadt (–, ̈e), *f.*, native town.
verän'dern, *tr.*, to alter, change; *refl.*, change.
verber'gen (-barg, -borgen), *tr.*, to conceal, hide.
verbeu'gen, *refl.*, to bow.
verbie'ten (-bot, -boten), *tr.*, to forbid, prohibit.
verbind'lich, *adj.*, obliging, kind; *adv.*, kindly.
verbit'ten (-bat, -beten), *tr.*, sich (*dat.*) etwas –, to decline something.
verbit'tern, *tr.*, to embitter.
verblüf'fen, *tr.*, to puzzle, nonplus.
verbor'gen, *part. adj.*, (verbergen), concealed, secret.
Verbor'genheit, *f.*, retirement, seclusion.

Verbre'chen (-s, –), *n.*, crime.
verbre'chen (-brach, -brochen), *tr.*, to commit, perpetrate; was du immer verbrochen hast, whatever you have committed.
verbrei'ten, *refl.*, to enlarge upon (über).
verbren'nen (-brannte, -brannt), *tr.*, to burn.
verbring'en (-brachte, -bracht), *tr.*, to pass, spend.
Verbrü'derung (–, -en), *f.*, fraternization.
verbun'den, *part. adj.*, (verbinden), obliged; bound.
Verbün'dete[r] (*declined as adj.*), *m.*, ally, confederate.
Verdacht' (-[e]s), *m.*, suspicion.
verdäch'tig, *adj.*, suspected, suspicious.
verdam'men, *tr.*, to condemn; damn.
verdammt', *part. adj.*, confounded.
verdan'ken, *tr.*, to owe, be indebted for.
verde'cken, *tr.*, to cover, hide, conceal.
verder'ben (-darb, -dorben), *tr.*, to spoil, ruin, mar.
Verder'ben (-s), *n.*, ruin, destruction.
Verdienst' (-es, -e), *n.*, merit, desert.
verdienst'lich, *adj.*, meritorious.
verdor'ren, *intr.*, (s.), to dry up, wither.
verdrieß'lich, *adv.*, vexedly, peevishly.
verdros'sen, *part. adj.*, (verdrießen), unwilling.
verdun'keln, *tr.*, to obscure; eclipse.
vereh'ren, *tr.*, to admire, revere, honor, adore.
Vereh'rung, *f.*, respect, reverence, veneration.
verei'nigen, *tr.*, to unite.
verein'zelt, *adv.*, singly, here and there, sporadically.
verei'teln, *tr.*, to frustrate.
veren'den, *intr.*, (s.), to die; verendet, dead.
verer'ben, *tr.*, to bequeath, leave (as a heritage).
verfal'len (-fiel, -fallen), *intr.*, (s.), to fall; lapse, decline; go to ruin, tumble down; fall due; – auf, to hit upon; in Gedanken –, fall to thinking, become absorbed in thought; – (*part. adj.*), in ruins; doomed; ohne dem Wahnsinne – zu sein, without being doomed to insanity.
verfeh'len, *refl.*, trespass *or* sin against.
verfe'men, *tr.*, to outlaw.
verfer'tigen, *tr.*, to make.
verflech'ten (-flocht, -flochten), *tr.*, to interweave, bind up with.
verflucht', *part. adj.*, cursed; execrable.
verfol'gen, *tr.*, to pursue; persecute; follow.
verfü'gen, *intr.*, to dispose of (über); verfügt über mich, I am at your service.
vergan'gen, *part. adj.*, past, gone; das Vergangene, the past, that which is past.
Vergan'genheit, *f.*, past.
verge'ben (-gab, -geben), *tr.*, to give away.
verge'bens, *adv.*, in vain.

vergeb'lich, *adj.*, vain, fruitless; *adv.*, in vain.
verge'hen (-ging, -gangen), *intr.*, (s.), to pass away.
vergel'ten (-galt, -golten), *tr.*, to requite, repay.
verges'sen (-gaß, -gessen), *tr.*, to forget.
vergie'ßen (-goß, -gossen), *tr.*, to spill; shed.
vergil'ben, *intr.*, (s.), to turn yellow.
vergit'tern, *tr.*, to lattice, grate.
verglei'chen (-glich, -glichen), *tr.*, to compare.
Vergnü'gen (-s, –), *n.*, pleasure.
vergön'nen, *tr.*, to grant, allow, permit.
verhaf'ten, *tr.*, to arrest, take into custody.
Verhaf'tung (–, -en), *f.*, arrest.
Verhält'nis (...nisses, ...nisse), *n.*, circumstance; relation.
Verhäng'nis (...nisses, ...nisse), *n.*, fate, destiny.
verhäng'nisvoll, *adj.*, fatal, fateful.
verhei'raten, *tr.*, to marry.
verhel'fen (-half, -holfen), *intr.*, to help to; einem zu etwas –, put one in the way of *or* to a thing, help one to obtain a thing.
Verhör' (-[e]s, -e), *n.*, trial, examination.
verhül'len, *tr.*, to conceal.
verhü'ten, *tr.*, to prevent; Gott verhüte! God forbid!
verja'gen, *tr.*, to drive away.
verkappt', *part. adj.*, disguised.
Verket'tung (–, -en), *f.*, linking; connection.
verkla'gen, *tr.*, to accuse.
verkör'pern, *tr.*, to embody in (zu), make.
verkün'digen, *tr.*, to announce.
verlang'en, *tr.*, to demand; desire.
Verlang'en (-s, –), *n.*, longing, desire; – tragen, to desire, long for.
verlas'sen (-ließ, -lassen), *tr.*, to leave; quit; desert; – (*part. adj.*), deserted.
Verlauf' (-[e]s), *m.*, course; expiration, lapse; nach – von, after the lapse of, at the expiration of.
verle'gen, *tr.*, to mislay.
Verle'genheit (–, -en), *f.*, embarrassment.
verler'nen, *tr.*, to unlearn, forget, lose.
verlet'zen, *tr.*, to injure; offend.
verlie'ren (-lor, -loren), *tr.*, to lose.
verlobt', *part. adj.*, engaged (to, mit).
verlo'ren, *part. and part. adj.*, (verlieren), lost.
verlö'schen (-losch, -loschen), *intr.*, (s.), to go out.
Verlust' (-es, -e), *m.*, loss.
vermeh'ren, *tr.*, to increase.
vermit'teln, *tr.*, to mediate, effect.
vermö'gen (-mochte, -mocht), *tr.*, to be able (to do).
Vermu'tung (–, -en), *f.*, supposition, surmise.
vernach'lässigen, *tr.*, to neglect.
verneh'men (-nahm, -nommen), *tr.*, to perceive; hear; sich – lassen, remark.
vernei'gen, *refl.*, to courtesy, bow.
Vernich'tung, *f.*, annihilation, destruction, extermination.

Vernunft', *f.*, reason; – annehmen, to listen to reason.
verö'den, *tr.*, to desolate.
veröf'fentlichen, *tr.*, to publish.
verpflich'ten, *tr.*, to oblige; obligate.
Verrat' (-[e]s), *m.*, treason; treachery.
verra'ten (-riet, -raten), *tr.*, to betray, deceive.
verrei'sen, *intr.*, (s.), to go on a journey, depart.
verrei'ten (*obsolete*=ausreiten, fortreiten) (-ritt, -ritten), *intr.*, (s.), to ride away.
verrich'ten, *tr.*, to do, perform, achieve, accomplish.
verrucht', *part. adj.*, wicked, villainous.
verrückt', *part. adj.*, mad, crazy.
verru'fen, *part. adj.*, ill-reputed.
versam'meln, *tr.*, to collect, assemble.
Versamm'lung (–, -en), *f.*, meeting, gathering, congregation.
versäu'men, *tr.*, to miss, neglect, omit.
verschaf'fen, *tr.*, to procure, obtain.
verschla'fen, *part. adj.*, sleepy, drowsy.
verschlim'mern, *refl.*, to get worse.
verschlos'sen, *part. and part. adj.*, (verschließen), locked, closed, shut.
verscho'nen, *tr.*, to spare, exempt.
verschränk'en, *tr.*, to fold.
verschul'den, *tr.*, to be guilty of, commit.
verschwä'gern, *refl.*, to become allied by marriage.
verschwin'den (-schwand, -schwunden), *intr.*, (s.), to disappear vanish.
Verschwö'rer (-s, –), *m.*, conspirator
Verschwö'rung (–, -en), *f.*, conspiracy, plot.
verse'hen (-sah, -sehen), *tr.*, to provide.
verset'zen, *tr.*, to put, place, deal *intr.*, reply, rejoin.
versi'chern, *tr.*, to assure, affirm.
versöh'nen, *tr.*, to reconcile, conciliate.
versöhn'lich, *adj.*, conciliatory.
Versöh'nung (–, -en), *f.*, reconciliation; atonement.
verspre'chen (-sprach, -sprochen), *tr.*, to promise; bespeak.
Verspre'chen (-s, –), *n.*, promise.
verstän'digen, *refl.*, to come to an understanding.
verste'hen (-stand, -standen), *tr.*, to understand, comprehend; versteht sich von selbst, is a matter of course; sich – auf, be skilled in, be at home in; sich – zu, accept.
verstim'men, *tr.*, to put out of humor.
versto'ßen (-stieß, -stoßen), *intr.*, (gegen), to offend against, transgress.
verstrei'chen (-strich, -strichen), *intr.*, (s.), to elapse, pass away.
verstri'cken, *tr.*, to entangle; *refl.*, get entangled.
verstüm'meln, *tr.*, to mutilate.
verstum'men, *intr.*, (s.), to become dumb *or* speechless.
Verstum'men (-s), *n.*, silence, speechlessness.
versu'chen, *tr.*, to try, attempt.

vertei'digen, *tr.*, to defend.
Vertei'diger (-s, –), *m.*, defender; advocate.
Vertei'digung (–, -en), *f.*, defence.
vertie'fen, *tr.*, to deepen; vertieft, absorbed.
vertil'gen, *tr.*, to destroy, exterminate.
vertra'gen (-trug, -tragen), *refl.*, to get on well (together).
Vertrau'en (-s), *n.*, confidence; trust.
vertre'ten (-trat, -treten), *tr.*; einem den Weg –, to stop (block *or* bar) another's passage *or* way.
vertrö'sten, *tr.*, to put off.
verun'stalten, *tr.*, to disfigure, deface.
verur'teilen, *tr.*, to condemn.
verwah'ren, *tr.*, to keep.
verwan'deln, *refl.*, to turn, be changed.
verwandt', *part. adj.*, related (to, mit).
Verwan'dte(r) (*declined as adj.*), *m. and f.*, relation, relative, kinswoman.
Verwech'seln (-s), *n.*, (exchange, mistake); der ihm zum – gleiche, who looks so much like him that one cannot tell them apart.
Verwechs'lung (–, -en), *f.*, mistake.
verwe'hen, *tr.* (h.), *and intr.* (s.), to blow away, scatter, die away.
verwer'fen (-warf, -worfen), *tr.*, to reject.
verwerf'lich, *adj.*, objectionable, reprehensible.
verwil'dert, *adj.*, unmanageable, dissolute.
verwir'ren, *tr.*, to embarrass, perplex.
Verwir'rung (–, -en), *f.*, confusion; embarrassment.
verwor'ren, *part. adj.*, (verwirren), confused.
verwun'den, *tr.*, to wound.
Verwun'derung, *f.*, wonder, surprise, astonishment.
Verwun'dung (–, -en), *f.*, wound, wounding.
verwü'sten, *tr.*, to devastate.
verzeh'ren, *tr.*, to consume; eat.
verzeich'nen, *tr.*, to specify, mark, mention.
verzei'hen (-zieh, -ziehen), *tr.*, to pardon, forgive (einem etwas, one for something).
verzer'ren, *tr.*, to distort.
verzie'hen (-zog, -zogen), *refl.*, to be distorted.
Verzie'rung (–, -en), *f.*, decoration, ornamentation.
verzö'gern, *refl.*, to be delayed *or* protracted.
Verzö'gerung (–, -en), *f.*, delay, procrastination.
verzwei'felt, *part. adj.*, desperate, despairing.
Verzweif'lung, *f.*, despair, desperation.
Ves'perbrot (v *pronounced as in English*) (-[e]s), *n.*, afternoon tea; supper.
Vet'ter (-s, -n), *m.*, cousin; relation.
viel, *adj. and adv.*, much; -e, many; so –, as much as, as far as.
viel'fach, *adv.*, in various ways.
vielleicht', *adv.*, perhaps, may be.
vielmehr', *adv.*, rather.
vier, *num.*, four.

vier'schrötig, *adj.*, square-built, thick-set, robust.

viert, *num. adj.*, fourth.

Vier'telstunde (–, -n), *f.*, quarter of an hour.

vier'zehnt, *num. adj.*, fourteenth.

vier'zig, *num.*, forty.

Vo'gel (-s, ¨), *m.*, bird; fellow, creature.

Volk (-[e]s, ¨er), *n.*, people.

Volks'gewühle (-s), *n.*, crowd of people.

Volks'haufe[n] (-ns, -n), *m.*, mob, crowd.

voll, *adj.*, full, entire.

vollen'det, *part. adj.*, completed, finished.

voll'gültig, *adj.*, valid.

völ'lig, *adv.*, fully, completely, entirely.

vom = von dem.

von, *prep.* (*with dat.*), of; from; by; about, concerning; – . . . her, from.

vor, *prep.* (*with dat. or acc.*), before; from; – sich hin, wrapped up in one's self.

Vor'abend (-s, -e), *m.*, eve.

voran'schreiten (schritt –, -geschritten), *intr.*, (s.), to walk in front.

voraus', *adv.*, in advance; im (zum) vor'aus, beforehand.

voraus'sehen (sah –, -gesehen), *tr.*, to foresee.

Vor'bedeutung (–, -en), *f.*, omen, presage, indication.

Vor'behalt (-[e]s, -e), *m.*, reservation.

vor'bestimmen, *tr.*, to predestine.

vor'beugen, *intr.*, to prevent, preclude, guard against; *refl.*, to bend forward.

Vor'bild (-[e]s, -er), *n.*, model.

vor'bilden, *tr.*, to typify.

vor'bringen (brachte –, -gebracht), *tr.*, to bring forward; utter.

Vor'dach (-[e]s, ¨er), *n.*, projecting roof.

vorerst', *adv.*, first of all.

vor'evangelisch, *adj.*, (pre-evangelical), before conversion to Protestantism.

Vor'fahr (-en, -en), *m.*, ancestor.

vor'führen, *tr.*, to bring before, lead out.

vor'gehen (ging –, -gegangen), *intr.*, to occur, happen.

Vor'gemach (-[e]s, ¨er), *n.*, antechamber.

vor'greifen (griff –, -gegriffen), *intr.*, to anticipate, forestall.

vorher', *adv.*, beforehand, previously.

vorher'bestimmen, *tr.*, to predestine.

Vor'mittag (-[e]s, -e), *m.*, forenoon.

vor'nehm, *adj.*, fashionable, of rank, distinguished.

vor'nehmen (nahm –, -genommen), *tr.*, to undertake.

vor'schieben (schob –, -geschoben), *tr.*, to shove *or* push forward; slip (a bolt).

Vor'schlag (-[e]s, ¨e), *m.*, proposal.

vor'schweben, *intr.*, to hover before; be (vaguely) before one's mind.

Vor'sehung, *f.*, Providence.

vor'sichtig, *adj.*, cautious, circumspect, prudent.

vor'stellen, *tr.*, to introduce; represent, show.

Vor'teil (-[e]s, -e), *m.*, advantage.

Vor'trag (-[e]s, ⁻e), *m.*, recital; discourse.

vortreff'lich, *adj.*, excellent; *adv.* excellently.

vorü'ber, *adv.*, by, past; finished, gone.

vorü'berkommen (kam –, -gekommen), *intr.*, (s.), to come past *or* by, pass, go by.

vorü'berreiten (ritt –, -geritten), *intr.*, (s.), to ride past.

vorü'berziehen (zog –, -gezogen), *intr.*, (s.), to pass in front of.

vor'wärts, *adv.*, ahead, forward.

vor'werfen (warf –, -geworfen), *tr.*, (einem etwas), to upbraid *or* reproach (one with a thing).

Vor'wurf (-[e]s, ⁻e), *m.*, reproach.

vor'wurfsvoll, *adj.*, reproachful.

vor'zählen, *tr.*, to count in the presence of.

vor'ziehen (zog –, -gezogen), *tr.*, to prefer.

Vor'zimmer (-s, –), *n.*, anteroom, antechamber.

vorzüg'lich, *adj.*, superior, excellent.

Votiv'tafel (*pronounce the initial* v *as in English*) (–, -n), *f.*, votive tablet.

Voyageur (*French*), *m.*, traveler; Pèlerin et –, "pilgrim and stranger" (Biblical: *I Peter*, I, 2.).

Vulkan' (*pronounce* v *as in English*) (-[e]s, -e), *m.*, volcano.

W

Wa'che (–, -n), *f.*, guard, watch.

Wa'chen (-s), *n.*, waking.

Wachs'bild (chs = ks) (-[e]s, -er), *n.*, wax figure, waxen image.

wach'sen (chs = ks) (wuchs, gewachsen), *intr.*, (s.), to grow.

Wacht'stube (–, -n), *f.*, guardroom.

Waf'fe (–, -n), *f.*, weapon; arm.

Waf'fengenosse (-n, -n), *m.*, companion in arms.

Waf'fenjahr (-[e]s, -e), *n.*, year of military service.

Waf'fenkammer (–, -n), *f.*, armory.

wa'gen, *tr.*, to venture, dare, hazard, risk; *refl.*, to venture.

Wag'nis (...nisses, ...nisse), *n.*, venture, hazardous enterprise.

Wahl (–, -en), *f.*, choice, election.

Wahn'sinn (-[e]s), *m.*, madness, frenzy.

wahr, *adj.*, true, real; nicht –? is it not so?

wäh'rend, *prep.* (*with gen.*), during; *conj.*, while; whereas.

wahrhaf'tig, *adv.*, truly, in truth; actually.

Wahr'heit (–, -en), *f.*, truth.

wahr'lich, *adv.*, in truth, verily, to be sure, certainly.

wahr'scheinlich, *adj.*, probable; *adv.*, probably.

Wald'horn (-[e]s, ⁻er), *n.*, hunting horn.

Wald'saum (-[e]s, ⁻e), *m.*, edge of woodland.

Wald'stätte, *f.*, *see page* 25, *line* 7.

Wald'streifen (-s, –), *m.*, strip of woods.

Wall (-[e]s, ⁻e), *m.*, wall, rampart.

Wall'fahrt (–, -en), *f.*, pilgrimage.

Wal'lung, *f.*, (ebullition), irritation.

wal'ten, *intr.*, to rule; be; exist.

wäl'zen, *refl.*, to roll.

Wams (-es, ⁻er), *n.*, doublet, jacket.

Wand (–, ⁻e), *f.*, wall.

wan′deln, *intr.*, (ſ.), to walk; handeln und –, to carry on trade and traffic, do business.

Wan′derſtab (-[e]s, ″e), *m.*, traveler's staff.

Wan′ge (–, -n), *f.*, cheek.

wann, *adv.*, *and conj.*, when.

warm, *adj.*, warm.

war′nen, *tr.*, to warn; admonish.

war′ten, *intr.*, to wait.

warum′, *adv.*, why.

was, *pron.*, *interrog. or relat.*, what, that which; whatever; – immer, whatever; ei –! ah, nonsense! pshaw!

wa′ſchen (wuſch, gewaſchen), *tr.*, to wash; eine Hand wäſcht die andere, one good turn deserves another.

Waſ′ſer (-s, –), *n.*, water.

Waſ′ſerkunſt (–, ″e), *f.*, fountain.

wech′ſeln (*pronounce* wekſ-), *tr.*, to change.

we′cken, *tr.*, to wake, awaken, arouse.

we′der, *conj.*, neither; – ... noch, neither ... nor.

weg (*pronounced* wĕk), *adv.*, away; off.

Weg (-[e]s, -e), *m.*, way; road; manner, means; ſich auf den – machen, to set out, start; meines -es (*adverbial gen.*), on my way, *or* road.

weg′bleiben (blieb –, -geblieben), *intr.*, (ſ.), to stay away.

weg′drücken, *tr.*, to press away.

weg′eilen, *intr.*, (ſ.), to hasten away.

we′gen, *prep.* (*with gen. preceding or following*; *sometimes, also, with dat.*), on account of, because of, by reason of.

weg′fegen, *tr.*, to sweep away.

weg′führen, *tr.*, to lead *or* carry away.

weg′tragen (trug –, -getragen), *tr.*, to bear *or* carry away.

weg′werfen (warf –, -geworfen), *tr.*, to throw *or* cast away.

weh, *adj.*, painful; mir war – ums Herz, I felt sick at heart.

weh′mütig, *adj.*, sad, melancholy; *adv.*, sadly, with sadness.

wehr′los, *adj.*, defenceless.

Weib (-[e]s, -er), *n.*, woman; wife.

wei′biſch, *adv.*, effeminately.

wei′chen (wich, gewichen), *intr.*, (ſ.), to give way, yield; leave *or* desert one.

Weid′recht (-[e]s, -e), *n.*, right of hunting.

Wei′gerung (–, -en), *f.*, refusal, denial.

weil, *conj.*, because, since, as.

Wei′le, *f.*, while, time.

wei′len, *intr.*, to stay, tarry.

Wein (-es, -e), *m.*, wine.

wei′nerlich, *adj.*, tearful.

Wei′ſe (–, -n), *f.*, mode, manner, way, fashion; ſonderbarer – (*adv. gen.*), strangely; auf unnatürliche –, unnaturally.

wei′ſen (wies, gewieſen), *tr.*, to point out, show; *refl.*, to be shown.

Weis′heit (–, -en), *f.*, wisdom.

weiß, *adj.*, white.

weit, *adj.*, distant, far off, wide; large; *adv.*, far off, distant; ſo –, so far as; weiter (*comp.*), further, forward, on.

wei′tergehen (ging –, -gegangen), *intr.*, (ſ.), to pursue one's way.

weiterhin, *adv.*, farther on; henceforth, in the future.

wei′tertraben, *intr.*, (f.), to trot along.

Wei′zenbrot (-[e]s), *n.*, wheat(en) bread.

wel′cher, wel′che, wel′ches, *interrog., and rel. pron.*, which, that, who.

Wel′le (–, -n), *f.*, wave; water.

Welt (–, -en), *f.*, world; people.

welt′klug, *adj.*, worldly wise.

welt′kundig, *adj.*, notorious, well known.

welt′lich, *adj.*, worldly; temporal.

wem, *pron.* (*dat. of* wer), to whom.

wen′den (wandte, gewandt, *and regular*), *intr.*, to turn; *refl.*, turn; (an einen –), address, apply to (one); zu mir gewendet, turning to me.

Wen′dung (–, -en), *f.*, turn.

we′nig, *adj.*, little; few, some; weniger (*comp.*), less, fewer; *adv.*, little.

we′nigstens, *adv.*, at least.

wenn, *conj.*, when; if; – auch, though, although.

wer, *pron.*, *indef. rel. or interrog.*, who, he who.

wer′ben (warb, geworben), *intr.*, – um, to woo, court (a girl).

wer′den (ward *or* wurde, geworden), *intr.*, (f.), to become; grow, get; be; prove; – aus, become of; was werdet Ihr wissen? how can (do) you know? – *is also used as an auxiliary of the passive voice.*

wer′fen (warf, geworfen), *tr.*, to throw, cast, fling; sich – in, put on.

Werk (-[e]s, -e), *n.*, (work), im -e sein, to be going on, be in preparation.

Werk′zeug (-[e]s, -e], *n.*, instrument, tool.

Wert (-[e]s, -e), *m.*, value, worth, price.

We′sen (-s, –), *n.*, (being), behavior, air.

weswe′gen, *adv.*, wherefore.

Wet′te (–, -n), *f.*, bet; eine – eingehen, to make a bet.

Wet′ter (-s, –), *n.*, weather; alle –! by jingo! zounds! good heavens!

wich′tig, *adj.*, important, of consequence.

Wich′tigkeit, *f.*, importance, ostentation.

widerle′gen, *tr.*, to refute, disprove.

wi′derlich, *adj.*, disgusting, repulsive.

widerspre′chen (-sprach, -sprochen), *intr.*, to contradict; *refl.*, contradict one's self; sich -d, contradictory, opposed.

Wi′derspruch (-[e]s, ⁼e), *m.*, contradiction.

Wi′derstand (-[e]s), *m.*, resistance.

wi′derwillig, *adv.*, reluctantly, unwillingly.

wie, *adv.*, how; what? *conj.*, as, like; as (if).

wie′der, *adv.*, again.

Wie′derbringung, *f.*, restoration.

wiederho′len, *tr.*, to repeat, reiterate.

Wie′dersehen (-s), *n.*, auf –! good by (till we meet again)! *au revoir*!

wie′derum, *adv.*, again.

Wie′ge (–, -n), *f.*, cradle.

wild, *adj.*, wild, savage.
Wild'heit, *f.*, wildness, fierceness.
Wil'helm (-s), *m.*, William.
Wil'le[n] (-ns), *m.*, will, wish, design; um ... (*gen.*) willen, for the sake of.
wil'lenlos, *adj.*, irresolute, without energy; without a will of one's own.
wil'ligen, *intr.*, to consent to, assent to (in *with acc.*).
willkom'men, *adj.*, welcome.
Wim'per (–, -n), *f.*, eyelash.
Wind (-[e]s, -e), *m.*, wind.
Wind'ſtoß (-es, ⁻̈e), *m.*, gust (of wind).
Wink (-[e]s, -e), *m.*. sign, hint.
win'ken, *intr.*, to make a sign to, beckon to, nod.
Wir'bel (-s, –), *m.*, whirl.
wir'ken, *tr.*, to work; produce, effect.
wirk'lich, *adv.*, really, actually.
Wirk'lichkeit (–, -en), *f.*, reality.
Wir'kung (–, -en), *f.*, effect.
wir'kungsvoll, *adj.*, effective.
Wirt (-[e]s, -e), *m.*, landlord.
Wir'tin (–, -nen), *f.*, landlady.
Wirts'haus (-es, ⁻̈er), *n.*, inn, tavern.
wiſ'ſen (wußte, gewußt), *tr.*, to know, be aware; know how; nicht daß ich wüßte, not that I am aware of.
wo, *interrog. or relat. adv.*, where; when; *conj. adv.*, when; where; if; *relat.*, in which; – hinaus? which way? in what direction?
Wo'che (–, -n), *f.*, week.
wohin', *rel. adv.*, whither; where, in which.
wohl, *adv.*, well; indeed; possibly probably; ja –! yes indeed!
wohl'bekannt, *part. adj.*, well-known.
Wohl'tat (–, -en), *f.*, benefit.
Wohl'wollen (-s), *n.*, good will, favor.
wohl'wollend, *part. adj.*, kind, kindly.
woh'nen, *intr.*, to dwell, live, reside.
Woh'nung (–, -en), *f.*, residence, dwelling; apartments.
Wol'ke (–, -n), *f.*, cloud.
Wol'kenhimmel (-s), *m.*, cloudy sky, skies.
wol'kenlos, *adj.*, cloudless, serene.
wol'len, *tr.*, *intr.*, *and modal auxiliary*, to be willing; intend, mean, wish, want; choose, like, please; claim; wollte! would (that)! ich will, I will; daß man ihn ... wolle geſehen haben, that they claimed to have seen him; wollte noch immer nicht kommen, never did come (wollen *used pleonastically for emphasis*).
wonach', *relat. adv.*, after which; for which.
woran', *relat. adv.*, on what; by what.
worin', *relat. adv.*, wherein, in which.
Wort (-[e]s, -e *or* ⁻̈er), *n.*, word; expression; zu -e kommen, to be allowed to speak.
wovon', *relat. adv.*, of which.
Wuchs (*pronounced* wuks) (-es, ⁻̈e), *m.*, growth; stature.
Wun'der (-s, –), *n.*, miracle; – tun, to work miracles *or* wonders.
wun'derbar, *adj.*, wonderful,

wondrous, miraculous, marvellous, strange; *adv.*, wonderfully, wondrously, marvellously.
wun'dersam, *adj.*, wonderful.
wun'dertätig, *adj.* working miracles.
Wun'derwerk (-[e]s, -e), *n.*, miracle.
Wunsch (-es, ⁼e), *m.*, wish, desire.
wün'schen, *tr.*, to wish; desire, long for; Glück –, to congratulate.
Wür'denträger (-s, –), *m.*, dignitary.
wür'digen, *tr.*, to think worthy (of, *with gen. of thing*); ohne mich einer Antwort zu –, without condescending to answer me.
Wurf (-[e]s, ⁼e), *m.*, throw.
Wür'fel (-s, –), *m.*, die, *pl.*, dice.
wurm'stichig, *adj.*, worm-eaten.
Würt'temberg (-s), *n.*, Würtemberg (a kingdom in the southern part of the German Empire).
würt'tembergisch, *adj.*, Würtembergian, of Würtemberg.
Wut, *f.*, rage.
wü'ten, *intr.*, to rage.
wü'tend, *part. adj.*, furious, mad, raging.

Z

zäh'len, *tr.*, to count, number; er mochte fünfzig Jahre –, he might have been fifty years old.
zahl'los, *adj.*, numberless.
zahl'reich, *adj.*, numerous.
Zahn (-[e]s, ⁼e), *m.*, tooth.
zart, *adj.*, tender; delicate.
Zau'ber (-s, –), *m.*, charm, fascination.
zehn, *num.*, ten.
zehnt, *num. adj.*, tenth.
zeh'ren, *intr.*, to prey upon (von), gnaw at (an).
Zei'chen (-s, –), *n.*, sign, mark; symptom.
Zei'gefinger (-s, –), *m.*, forefinger.
zei'gen, *tr.*, to show; point out; *refl.*, to appear, become evident.
zei'hen (zieh, geziehen), *tr.*, (*acc. of person, gen. of thing*), to accuse of, impute to, tax with.
Zei'le (–, -n), *f.*, line.
Zeit (–, -en), *f.*, time; age, period, epoch; vor -en, in former times, in olden times.
zeitle'bens, *adv.*, for life.
zeit'weise, *adv.*, for a time, from time to time.
zerar'beiten, *tr.*, den Kopf –, to rack one's brains.
zerbre'chen (-brach, -brochen), *tr.*, to break (to pieces).
zerrei'ßen (-riß, -rissen), *tr.*, to tear, break.
zerschla'gen (-schlug, -schlagen), *tr.*, to smash, break.
zerschmet'tern, *tr.*, to crush; an dem Zerschmetterten vorüber, past the crushed man.
zerschnei'den (-schnitt, -schnitten), *tr.*, to cut to pieces, cut up; sever.
zerstreu'en, *tr.*, to scatter.
Zeu'ge (-n, -n), *m.*, witness.
zie'hen (zog, gezogen), *tr.*, to draw, pull; attract; *intr.*, (s.), to move; march; go.
Ziel (-[e]s, -e), *n.*, aim; goal; end.
zie'len, *intr.*, to aim, take aim.
ziem'lich, *adv.*, tolerably, rather.
Zim'mer (-s, –), *n.*, room, chamber, apartment.

Zin'ne (–, -n), *f.*, battlement.
zit'tern, *intr.*, to tremble, vibrate.
zö'gern, *intr.*, to hesitate, delay.
Zorn (-[e]s), *m.*, wrath, anger, ire.
zor'nig, *adj.*, angry.
zorn'rot, *adj.*, flushed with anger.
zu, *prep.* (*with. dat*), to; at, by; in; on; for; of; *adv.*, too; shut, to.
zu'bringen (brachte –, -gebracht), *tr.*, to pass, spend (time).
Zucht, *f.*, discipline.
züch'tig, *adj.*, modest, chaste; *adv.*, modestly, chastely.
züch'tigen, *tr.*, to chastise, correct.
zu'cken, *tr.*, (to jerk), shrug (one's shoulders); *intr.*, to quiver; be convulsed; zuckend, convulsive.
zu'eilen, *intr.*, (ſ.), to hasten (up) to (auf).
zuerſt', *adv.*, first, at first.
Zu'fall (-[e]s, ⁻e), *m.*, chance, accident.
zu'fällig, *adj.*, casual, accidental.
zu'flüſtern, *tr.*, to whisper to.
zufrie'den, *adj.*, contented, satisfied; at peace; – laſſen, to let alone.
Zug (-[e]s, ⁻e), *m.*, draught; procession; train; feature; stroke.
zu'gehen (ging –, -gegangen), *intr.*, (ſ.), to walk *or* go towards, make for (auf).
Zü'gel (-s, –), *m.*, rein; die – ſchießen laſſen, to give free rein to.
zu'getan, *adj.*, attached, devoted.
zugleich', *adv.*, at the same time.
Zu'hörer (-s, –), *m.*, hearer.
Zu'kunft, *f.*, future.
Zu'kunftsbild (-[e]s, -er), *n.*, picture of the future.
zuletzt', *adv.*, at last, finally, after all.
zum = zu dem.
zumal', *adv.*, especially.
zu'muten, *tr.*, to impute.
Zu'mutung (–, -en), *f.*, (unreasonable) demand.
zunächſt', *adv.*, *and prep.* (*with dat.*), next to, nearest to.
Zun'ge (–, -n), *f.*, tongue, language.
zur = zu der.
zu'reden, *intr.*, to persuade.
Zu'reden (-s), *n.*, persuasion.
zür'nen, *intr.*, to be angry.
zurück', *adv.*, back, backwards; *interj.*, –! stand back!
zurück'fahren (fuhr –, -gefahren), *intr.*, (ſ.), to start, recoil.
zurück'fallen (fiel –, -gefallen), *intr.*, (ſ.), to fall back.
zurück'gezogen, *part. adj.*, (zurück-ziehen), retired, in retirement.
zurück'jagen, *tr.*, to drive back.
zurück'kehren, *intr.*, (ſ.), to return.
zurück'kommen (kam –, -gekommen), *intr.*, (ſ.), to come back, return.
zurück'lehnen, *refl.*, to lean back.
zurück'nehmen (nahm –, -genommen), *tr.*, to take back; withdraw.
zurück'rufen (rief –, -gerufen), *tr.*, to call back.
zurück'ſenden (ſandte –, -geſandt), *tr.*, to send back.
zurück'treten (trat –, -getreten), *intr.*, (ſ.), to step back; recede, withdraw, draw back.
zurück'wenden (wandte –, -gewandt, *also regular*), *refl.*, to turn back.
zurück'werfen (warf –, -geworfen), *tr.*, to throw back.
zurück'ziehen (zog –, -gezogen), *tr.*, to draw back; *refl.*, to withdraw.

zu′rufen (rief –, -gerufen), *intr.*, to call to, shout to.

zu′ſagen, *intr.*, to promise to come.

zuſam′men, *adv.*, together.

zuſam′menbrechen (brach –, -gebrochen), *intr.*, (ſ.), to collapse.

zuſam′menbringen (brachte –, -gebracht), *tr.*, to collect.

zuſam′menfügen, *tr.*, to join, unite.

zuſam′menhalten (hielt –, -gehalten), *tr.*, to keep together.

Zuſam′menhang (-[e]s, ¨e), *m.*, connection.

zuſam′menhängen, *intr.*, to cohere; be connected (with); -der, *pres. part. used adv.*, more coherently.

zuſam′menknüpfen, *tr.*, to tie together.

zuſam′menleben, *intr.*, to live with *or* in company with (mit).

zuſam′menſchrecken (ſchrak –, -geſchrocken), *intr.*, (ſ.), to startle, shrink with fright.

zuſam′menſinken (ſank –, -geſunken), *intr.*, (ſ.), to collapse.

zuſam′menſtimmen, *intr.*, to accord, agree.

zuſam′mentreffen (traf –, -getroffen), *intr.*, (ſ.), to meet.

Zuſam′mentreffen (-s, –), *n.*, meeting.

zuſam′mentreten (trat –, -getreten), *intr.*, (ſ.), to meet; step up to each other.

zuſam′menziehen (zog –, -gezogen), *tr.*, to draw together, contract.

zu′ſchlagen (ſchlug –, -geſchlagen), *tr.*, to slam (a door).

zu′ſehen (ſah –, -geſehen), *intr.*, to look on.

zu′ſetzen, *intr.* (*with dat.*), to beset.

Zu′ſtand (-[e]s, ¨e), *m.*, condition, situation, state (of affairs).

zu′ſtändig, *adj.*, belonging.

zu′ſtoßen (ſtieß –, -zugeſtoßen), *tr.*, to thrust, let drive (at a person).

zu′trauen, *tr.*, (*dat. of pers.*, *acc. of thing*), to give credit for, believe capable of.

zu′treten (trat –, -getreten), *intr.*, (ſ.), to step *or* come up (auf, to).

Zu′tritt (-[e]s, -e), *m.*, access, admittance.

zu′verläſſig, *adj.*, reliable, trustworthy.

zuvor′kommend, *part. adj.*, obliging, polite, civil.

zuwei′len, *adv.*, sometimes.

zu′werfen (warf –, -geworfen), *tr.*, to throw to; hurl (a remark) at.

zwan′zig, *num.*, twenty.

zwar, *adv.*, indeed; it is true.

zwei, *num.*, two.

zwei′deutig, *adj.*, equivocal, doubtful, double-dealing.

Zwei′fel (-s, –), *m.*, doubt.

zwei′fellos, *adv.*, without doubt.

zwei′feln, *intr.*, to doubt.

Zwei′kampf (-[e]s, ¨e), *m.*, duel.

zwei′mal, *adv.*, twice.

zweit, *num. adj.*, second; next.

zweit′nächſt, *adj.*, next but one, second.

zwin′gen (zwang, gezwungen), *tr.*, to force, compel.

zwi′ſchen, *prep.* (*with dat. or acc.*), between; among.

Zwi′ſchenraum (-[e]s, ¨e), *m.*, space between.

Zwiſt (-[e]s, -e), *m.*, dispute, quarrel.

zwölf, *num.*, twelve.

STANDARD GERMAN TEXTS

Arnold. Ein Regentag auf dem Lande (Kern)	$0.25
Baumbach. Im Zwielicht. Vol. I (Bernhardt)	.65
Im Zwielicht. Vol. II (Bernhardt)	.65
Baumbach & Wildenbruch. Es War Einmal (Bernhardt)	.65
Benedix. Der Prozess, and **Wilhelmi.** Einer Muss Heiraten (Lambert)	.30
Bernhardt. Deutsche Litteraturgeschichte	.75
Freudvoll und Leidvoll	.65
Dillard. Aus dem Deutschen Dichterwald	.60
Ebner-Eschenbach. Krambambuli, and **Klaussmann.** Memoiren eines Offizierburschen (Spanhoofd)	.25
Fahsel. Allerlei	.25
Fouqué. Undine (Senger)	.50
Freytag. Die Journalisten (Johnson)	.35
Grimm. Kinder- und Hausmärchen (Vos)	.45
Groller. Inkognito, and **Albersdorf.** Cand. phil. Lauschmann (Lentz)	.30
Heyse. Das Mädchen von Treppi, and Marion (Bernhardt)	.30
Anfang und Ende (Lentz)	.30
L'Arrabbiata (Lentz)	.30
Hillern. Höher als die Kirche (Dauer)	.25
Keller. Bilder aus der Deutschen Litteratur	.75
Leander. Träumereien (Hanstein)	.35
Lessing. Minna von Barnhelm (Lambert)	.50
Nathan der Weise (Diekhoff)	.80
Moser. Der Bibliothekar (Cooper)	.45
Prehn. Journalistic German	.50
Ranke. Kaiserwahl Karl's V. (Schoenfeld)	.35
Richter. Selections (Collins)	.60
Riehl. Die Vierzehn Nothelfer and Trost um Trost (Sihler)	.30
Der Fluch der Schönheit (Frost)	.30
Das Spielmannskind and Der Stumme Ratsherr (Priest)	.35
Schanz. Der Assistent and Other Stories (Beinhorn)	.35
Scheffel. Der Trompeter von Säkkingen (Buehner)	.75
Schiller. Gustav Adolf in Deutschland (Bernhardt)	.45
Wilhelm Tell (Roedder)	
Seidel. Die Monate (Arrowsmith)	.25
Der Lindenbaum and Other Stories (Richard)	.25
Herr Omnia (Matthewman)	.25
Leberecht Hühnchen und Andere Sonderlinge (Bernhardt)	.50
Spyri. Rosenresli and Der Toni von Kandergrund	.25
Stern. Geschichten vom Rhein	.85
Geschichten von Deutschen Städten	1.25
Stifter. Das Heidedorf (Lentz)	.25
Stoltze. Bunte Geschichten	.30
Storm. Immensee (Dauer)	.25
Wagner. Die Meistersinger (Bigelow)	.70
Wilbrandt. Der Meister von Palmyra (Henckels)	.80
Wildenbruch. Das Edle Blut (Eggert)	.30
Zschokke. Der Zerbrochene Krug (Berkefeld)	.25

AMERICAN BOOK COMPANY

[223]

Standard French Texts

With Notes and Vocabularies

Augier & Sandeau. Le Gendre de M. Poirier (Roedder)	$0.40
Bacon. Une Semaine à Paris	.50
Bruno. Le Tour de la France (Syms)	.60
Chateaubriand. Les Aventures du Dernier Abencerage (Bruner)	.30
Crémieux & Decourcelle. L'Abbé Constantin (François)	.35
Daudet. L'Enfant Espion and Other Stories (Goodell) .	.45
Selected Stories (Jenkins)	.50
Tartarin de Tarascon (Fontaine)	.45
Dumas. La Tulipe Noire (Brandon)	.40
Les Trois Mousquetaires (Fontaine)	.60
Erckmann-Chatrian. Madame Thérèse (Fontaine) . .	.50
Fénélon. Télémaque (Fasquelle)	.90
Foa. Le Petit Robinson de Paris (De Bonneville) . .	.45
Foncin. Le Pays de France (Muzzarelli)	.60
Fontaine. Douze Contes Nouveaux	.45
Goncourt, Edmond and Jules de. Selections (Cameron) .	1.25
Guerber. Contes et Légendes. Part I.	.60
Contes et Légendes. Part II.	.60
Labiche & Martin. Le Voyage de M. Perrichon (Castegnier)	.35
La Brète. Mon Oncle et Mon Curé (White)	.50
La Fontaine. Fifty Fables (McKenzie)	.40
Legouvé & Labiche. La Cigale (Farrar)	.25
Mairet. La Tâche du Petit Pierre (Healy)	.35
L'Enfant de la Lune (Healy)	.35
Mérimée. Colomba (Williamson)	.40
Molière. Le Bourgeois Gentilhomme (Roi & Guitteau) .	.35
Nodier. Le Chien de Brisquet and Other Stories (Syms)	.35
Racine. Iphigénie (Woodward)	.60
Sandeau. Mademoiselle de la Seiglière (White) . .	.40
Schultz. La Neuvaine de Colette (Lye)	.45
Sévigné, Mme. de. Selected Letters (Syms) . . .	.40
Syms. An Easy First French Reader	.50
Voltaire. Selected Letters (Syms)	.75

AMERICAN BOOK COMPANY

New York Cincinnati Chicago

Boston Atlanta Dallas San Francisco

[214]

REVISED EDITION

A PRACTICAL COURSE IN SPANISH

By H. M. MONSANTO, A.M., and
LOUIS A. LANGUELLIER, LL. D.

Revised by
FREEMAN M. JOSSELYN, Jr.
Assistant Professor of Romance Languages in Boston University

PRICE, $1.25

THIS well-known and popular text-book aims to make the basic principles of Spanish grammar familiar to the student by constant practice and by repetition in Spanish. It is therefore both a grammar and a complete beginner's course. In the revision the editor has preserved the original form of the work, recasting only such grammatical statements as seemed to demand it. His special care has been to present the Spanish text in accordance with the latest rules for orthography and accent.

The lessons contain:

1. EXAMPLES, accompanied by their nearest English equivalents, and made to illustrate the grammatical and idiomatic principles which are involved in the lessons.

2. VOCABULARIES placed before the exercises, the masculine and feminine names being grouped separately, and other parts of speech arranged alphabetically for convenience of reference.

3. SPANISH EXERCISES. The sentences in Spanish require only the application of the instructions contained in the lesson, or in the preceding ones, for their translation into English.

4. ENGLISH EXERCISES. The analogous sentences in English are presented in immediate connection with the preceding ones in Spanish. The principles applied in the Spanish exercises are thus made an effective auxiliary in the work of translating English into Spanish.

5. GRAMMATICAL AND IDIOMATIC PRINCIPLES. This division may be employed by means of the references, either in connection with the preceding instructions, or as a review.

AMERICAN BOOK COMPANY
NEW YORK CINCINNATI CHICAGO

A Laboratory Manual in Practical Botany

For use in Secondary Schools and for Elementary Work in Colleges

By CHARLES H. CLARK, A.M., D.Sc.,

Principal of Windsor Hall School, Waban, Mass.

Cloth, 12mo, 272 pages. Illustrated . 96 cents

The course of botanical study outlined in this book is intended to give the student a general view of the subject, and at the same time to lay a foundation upon which more advanced studies may be built. The book is primarily a laboratory manual and follows the method recommended by the Committee of Ten and employed by the best teachers. So pursued, the study of botany provides the means of developing habits of close and accurate observation and of cultivating the reasoning powers that can scarcely be claimed for any other subject taught in the schools.

It provides a systematic outline of classification to serve as a guide in laboratory work and in the practical study of the life histories of plants, their modes of reproduction, manner of life, etc. The treatment is suggestive and general to adapt it to the courses of study in different schools, and to allow the teacher to follow his own ideas in selecting the work of his class.

Clark's Laboratory Manual in Practical Botany *will be sent, prepaid, to any address on receipt of the price by the Publishers:*

American Book Company

NEW YORK • CINCINNATI • CHICAGO

(173)